o MAIOR PODER do MUNDO

TIAGO BRUNET

O MAIOR PODER DO MUNDO

Vida

Editora Vida
Rua Conde de Sarzedas, 246 – Liberdade
CEP 01512-070 – São Paulo, SP
Tel.: 0 xx 11 2618 7000
atendimento@editoravida.com.br
www.editoravida.com.br

Editor responsável: Gisele Romão da Cruz
Editor-assistente: Marcelo Martins
Preparação: Sônia Freire Lula Almeida
Revisão de provas: Josemar de Souza Pinto
Projeto gráfico e diagramação: Claudia Fatel Lino
Capa: Whitaker House

©2018, Tiago Brunet

Todos os direitos desta obra reservados por Editora Vida.

Proibida a reprodução por quaisquer meios, salvo em breves citações, com indicação da fonte.

Todos os grifos são do autor.

Scripture quotations taken from Bíblia Sagrada, Nova Versão Internacional, NVI ®.
Copyright © 1993, 2000, 2011 Biblica Inc.
Used by permission.
All rights reserved worldwide.
Edição publicada por Editora Vida, salvo indicação em contrário.

Todas as citações bíblicas e de terceiros foram adaptadas segundo o Acordo Ortográfico da Língua Portuguesa, assinado em 1990, em vigor desde janeiro de 2009.

1. edição: maio 2018
1ª reimp.: maio 2018
2ª reimp.: jul. 2018
3ª reimp.: mar. 2019
4ª reimp.: dez. 2019
5ª reimp.: out. 2020
6ª reimp.: out. 2021
7ª reimp.: maio 2021

Dados Internacionais de Catalogação na Publicação (CIP)
(Câmara Brasileira do Livro, SP, Brasil)

Brunet, Tiago
  O maior poder do mundo / Tiago Brunet. -- São Paulo : Editora Vida, 2018.

  ISBN 978-85-383-0375-6

  1. Conduta de vida 2. Desenvolvimento pessoal 3. Espiritualidade 4. Poder 5. Vida cristã I. Título.

18-14579   CDD-248.4

Índices para catálogo sistemático:
1. Poder : Vida cristã : Cristianismo 248.4
Maria Paula C. Riyuzo - Bibliotecária - CRB-8/7639

Dedicatória

José, você carrega o
Maior Poder do Mundo.
Te amo!

Sumário

Introdução 9

Criptonita: o antipoder 21

Pondo os pingos nos is — a moeda tempo 23

1. O poder da informação 29
2. O poder do dinheiro 63
3. O poder dos relacionamentos — *networking* 89
4. O poder da sabedoria 105
5. O poder de um sonho 119
6. O poder da fé 139
7. O poder do amor 153
8. O maior poder do mundo 173

Conclusão 193

O maior poder do mundo está disponível a todos 199

Introdução

Este livro não se trata de uma obra científica. Não tenho, como autor, pretensão teológica alguma nas descobertas que revelo nas páginas que seguirão. Trata-se simplesmente do resultado de uma observação neurótica da vida dos bem-sucedidos, da meditação profunda na sabedoria milenar bíblica e do conhecimento empírico de um apaixonado por **desenvolvimento pessoal e espiritualidade**.

Entrevistei 100 líderes mundiais de diversos segmentos e crenças para escrever o conceito do meu último livro, *12 dias para atualizar sua vida*. Depois de escrevê-lo, me dei conta de que descobrir a ideia central permanente, ou propósito de sua vida é o início de uma jornada para adquirir o maior poder do mundo.

Esse poder, que é o maior de todos, é **a chave que abrirá as portas que estiverem fechadas** quando você pegar a estrada rumo ao lugar com o qual tem sonhado.

Na pesquisa, concluí que existem muitos poderes que regem a humanidade. Não haveria páginas suficientes para mencionar todos aqui. Desse modo, selecionei os oito poderes que mais influenciam as pessoas, os oito que podem mudar destinos, segundo o meu modo de ver.

O oitavo poder é uma *revelação simples de entender, mas extremamente difícil de acreditar.* Esteja com a mente aberta para o que vem adiante!

Este livro é uma sequência das minhas outras obras. Ficará mais fácil entendê-lo caso você tenha passado pelo treinamento básico do *Rumo ao lugar desejado* e se você já conquistou o que proponho no livro *12 dias para atualizar sua vida,* além da saúde emocional para ter paz financeira indicada no *Dinheiro é emocional.*

No entanto, o meu desafio aqui é:

> Se você sonha com algo impossível...
> Se você deseja realmente viver uma vida de paz e prosperidade...
> Caso você venha de um passado difícil, mas não tem dúvida de que o futuro é o seu lugar...
> Se você realmente quer desfrutar de uma vida próspera nas finanças e nos relacionamentos...
> Se quer marcar a história vivendo uma vida extraordinária...
> Se você é altruísta, não egoísta, e deseja conquistar, sim, mas para poder ser um facilitador na vida de outros...

PARE TUDO e dedique um tempo a ler este livro com toda a atenção que puder. Muita coisa começará a mudar a partir de agora. Não pare de ler até que cada poder esteja claro na sua mente. Você precisará de cada um deles na longa caminhada que temos neste mundo terreno.

Deu certo comigo e quero revelar a você esse mapa do tesouro!

Eis os poderes que governam a humanidade e sobre os quais falaremos aqui. Conquiste-os e nada será impossível para você:

> 1. O poder da informação
> 2. O poder do dinheiro
> 3. O poder dos relacionamentos – *networking*
> 4. O poder da sabedoria
> 5. O poder de um sonho
> 6. O poder da fé
> 7. O poder do amor
> 8. O maior poder do mundo

Pense, por exemplo, em um homem como Nelson Mandela, que viveu vinte e sete anos em uma prisão, excluído, vigiado, e que ao sair da prisão em Robben Island se tornou o primeiro presidente negro de uma África do Sul marcada pela questão racial. Mandela se tornou um dos homens mais poderosos e memoráveis da Terra.

Quais dos poderes acima ele terá adquirido? O que terá aberto essas portas ultrablindadas para ele?

Podemos pensar em um caso semelhante, como o de José, o hebreu que viveu cerca de 1.600 anos antes de Cristo, que foi vendido pelos próprios irmãos como escravo para mercadores peregrinos e anos depois se tornou um dos governantes mais influentes do antigo Egito.

Esses homens de destaque, não só aqueles que se destacaram na vida pública como administradores ou governantes, fizeram da história uma ferramenta a seu favor.

A biografia deles nos inspira, ensina, estimula e nos faz acreditar que é possível fazer a diferença, não importa como tenha sido a sua vida até aqui!

"Mas" — você pode perguntar — "como fazer isso? Há alguma coisa diferente nessas pessoas?".

Sim, existe um segredo.
Trata-se de princípios que, se cumpridos,
transformam homens comuns em personalidades
inesquecíveis. Isso é o que diferencia os
seres humanos neste mundo!
O poder que carregam dentro de si.

Segundo as minhas pesquisas e experiência de vida, há poderes disponíveis neste mundo que podem ser conquistados, na verdade "adquiridos", com uma moeda que apresentarei a seguir. Esses poderes podem levar alguém "sem futuro", aos olhos humanos, mais longe do que qualquer um poderia ir em uma vida inteira. Sim, caro leitor, são tais fatores que têm a capacidade de levar o ser humano ao "topo da montanha", como bem expressou Martin Luther King Jr. em seu último discurso.

O próprio José do Egito é um exemplo excelente de tudo isso. Ele conquistou os poderes que são a essência desta obra e viveu uma vida extraordinária, apesar dos tempos difíceis que teve de enfrentar.

Durante a adolescência, José usou o poder de um sonho; quando esteve na prisão, ele usou o poder da *networking*, ou rede de relacionamentos; mais tarde, quando chegou ao palácio, ele usou o poder da sabedoria; na fase adulta, usou o poder do dinheiro; quando quis levar seu pai para o Egito, onde ele já era governador, José usou o poder da informação.

Observe que uma pessoa pode dispor de um tipo específico de poder em situações diferentes, em diferentes momentos da vida, para alcançar objetivos igualmente diferentes. Alguns usaram o poder da sabedoria para construir uma empresa e o poder da informação anos depois para ampliá-la. Outros usaram o poder do amor para começar uma ONG e o poder da *networking*, em outra época, para manter sua obra em evidência.

Isso é fascinante! A possibilidade de transitar entre mundos tão diferentes como a prisão e o palácio, assim como foi no caso de José, e saber que tipo de "poder" será a chave para abrir as portas de determinado lugar. Lembre-se: **Para cada porta, há uma chave!**

PARA CADA FASE DA VIDA, HÁ UM PODER

Você precisa saber quais são as "armas necessárias" para cada etapa da sua existência e conquistá-las, custe o que custar. Ao usar essa arma, que eu chamo de **poder**, você fará as coisas de forma diferente da que está acostumado. Sim, muita coisa mudará para melhor!

Por meses e meses, eu só pensei no que realmente seria o maior poder do mundo e se seria possível conquistá-lo. Estaria disponível para qualquer um? Custaria mais caro que os outros poderes deste mundo?

Estudei o comportamento de algumas pessoas relevantes do nosso tempo, analisei com a devida atenção alguns líderes mundiais e entrevistei autoridades nacionais e internacionais que selecionei de acordo com a maneira pela qual elas têm se destacado. Em seguida, fiz tudo o que pude para me aproximar dessas pessoas e, dessa forma, chegar perto da resposta tão esperada para a pergunta: *Em sua opinião, qual é o maior poder do mundo?*

Escutei coisas que valem ouro e as revelarei nas páginas a seguir.

De uma coisa estou convencido:

**Não importa de onde você veio,
mas aonde você está indo.**

Muitas pessoas importantes dos nossos dias, cuja vida é extraordinária, vieram de um passado constrangedor. Em minhas palestras para empreendedores, gosto de citar o caso de Steve Jobs, fundador da Apple. Quando nasceu, foi abandonado pelos pais e criado por uma família que o adotou. Teve sérias dificuldades financeiras na juventude a ponto de caminhar quilômetros por dia para buscar uma refeição em uma associação que doava alimentos. Não conseguiu concluir a universidade. Depois de fundar a Apple, foi expulso da empresa pelos membros do conselho e teve de começar outra empresa do zero. Mas, por fim, foi considerado um gênio do fim do século XX e início do século XXI e o maior facilitador da comunicação da nossa geração.

Isso quer dizer que os fatores dos quais trataremos aqui, uma vez adquiridos, têm a capacidade de transformar você para que o seu passado jamais governe o seu destino!

OS PODERES

Hoje em dia, as pessoas antenadas sabem que a **INFORMAÇÃO** pode colocá-las à frente das demais pessoas. Ter a informação certa faz toda a diferença.

Imagine, para um investidor do mercado de capitais, quanto valeria (e quanto ele poderia ganhar) se soubesse, antes de todos no mercado, qual seria a variação do dólar em determinado dia ou período? Imagine, no mercado de bens futuros, saber quais ações de qual empresa teriam maior valorização?

A informação tem um valor tão inestimável que, se for obtida de forma privilegiada, torna-se o motivo de um crime federal.

Também sabemos, por exemplo, através da Inteligência Bíblica, que o **DINHEIRO** atende a tudo. Quem tem dinheiro, consegue estar nos melhores eventos, nos melhores lugares e nas melhores festas. Com dinheiro, essa pessoa desfrutará de conforto natural e terá no bolso a moeda que negocia a abertura de muitas portas. Sem dúvida alguma, o dinheiro é um grande facilitador na vida.

Mas as mesmas Escrituras afirmam que a **FÉ** move montanhas. Todos ouvimos isso um dia. E o que é a fé? Consiste naquilo que você revela acreditar quando está em apuros, ou quando consegue enxergar algo mesmo que ainda não exista.

Foi pela fé e por um amor imenso que uma mulher como Madre Teresa de Calcutá salvou uma geração inteira de famintos e doentes na Índia. Madre Teresa não tinha dinheiro a princípio. Então, como ela entrou para a História? Ela adquiriu no decorrer de sua vida outros poderes. Investiu a moeda corrente desta geração, o tempo, na aquisição do que importava para aquela fase da vida em que estava. Não tinha dinheiro até então, mas tinha amor para dar a quem precisasse e fé para seguir em frente.

A própria Bíblia diz que "o **AMOR** é tão forte quanto a morte" (Cântico dos Cânticos 8.6). É o amor que faz pais e mães se sacrificarem para dar a seus filhos o que há de melhor.

Uma mãe sofreria fome para que seu filho pudesse ter o que comer. Tudo o que ela faz é por amor.

Uma boa rede de relacionamentos (**NETWORKING**) pode levar uma pessoa a se sentar a mesas nas quais estratégias certas acontecerão e mudarão a sua própria história.

Um alto executivo da Coca-Cola contou-me que uma boa *networking* é melhor do que um bom currículo e admitiu que o cargo de liderança que ele ocupava na empresa não era mérito por seus estudos ou por sua formação, mas, sim, porque fora indicado por alguém que ele conhecia — alguém de sua *networking*.

Sadraque, Mesaque e Abdnego se tornaram chefes dos negócios da Babilônia não pelo histórico laboral que tinham ou pela formação acadêmica que apresentaram, mas por serem da rede de relacionamentos de Daniel (Daniel 2.49).

É a Bíblia que também nos revela que a **SABEDORIA** é uma coisa primordial. Com sabedoria, é possível evitar guerras e desenvolver tragédias. Com sabedoria, é possível fazer justiça; é possível fazer escolhas assertivas e atrair seguidores. Um sábio pobre vale mais que um rico sem conhecimento.

Também sabemos que o **SONHO** tem um poder incrível. Ele é o grande anestésico contra as dores da vida. Martin Luther King Jr., o admirado líder que lutou pelos direitos civis dos negros nos Estados Unidos, declarou em seu discurso mais famoso que tinha o sonho de viver em um mundo com mais igualdade. E foi isso que o levou a liderar multidões e a vencer batalhas contra o racismo.

Esse foi o mesmo caso de José do Egito, e ambos sofreram injustiças e tiveram perdas. Mas, para quem tem sonhos, as dores da vida não são sentidas da mesma maneira que pelas pessoas comuns. Os que têm sonhos estão como que anestesiados. Não sentem as dores, as críticas e as contrariedades da vida da mesma forma que as pessoas sem sonhos.

Até aqui mencionei sete poderes que estão à nossa disposição. Mas há o oitavo poder! E esse é uma dádiva divina; não está disponível nas prateleiras do mercado da vida.

De posse dos sete poderes que te apresentei, somos capacitados por um impulso extra. Podemos chegar a lugares que nem sequer imaginamos. Esses poderes foram diferenciais na vida de pequenos homens que fizerem grandes coisas. Os poderes que menciono foram os mesmos que me trouxeram até onde estou hoje. Escrevo nas próximas páginas o que vivi e experimentei, não apenas o que investiguei e estudei.

Através da Inteligência Bíblica, deciframos que oito poderes são importantes para o nosso crescimento horizontal, aqui na terra, mas, se tivéssemos apenas um, já nos bastaria.

Grave isto: O maior poder do mundo é suficiente.

> Qual foi a real diferença entre Martin Luther King Jr. e Malcolm X?
>
> Ambos eram negros, contemporâneos e lutavam pela mesma causa.

> Mas quem ganhou o Nobel da Paz?
>
> Qual deles tem um feriado nos Estados Unidos em sua homenagem?
>
> Quem realmente entrou no consciente popular como herói?

Se você descobrir a diferença entre o doutor King e Malcolm, saberá antes mesmo de ler o último capítulo qual é o maior poder de todos!

Se você descobrir por que Noé foi o escolhido para recomeçar o mundo, por que Jacó, mesmo deixando de lado a herança do pai e contando apenas com um cajado na mão, se transformou em um homem riquíssimo, então desvendará o segredo.

Se você descobrir como alguém que sempre foi um péssimo aluno na escola, pecador religioso, diagnosticado com déficit de atenção e outros transtornos, um falido de caráter duvidoso, sem nenhuma aparência ou beleza, se tornou relevante na sociedade, com uma família feliz, autor *best-seller* internacional e um dos palestrantes mais solicitados do país, você saberá rapidamente qual é o maior poder do mundo.

Os sete primeiros poderes são absolutamente necessários e — entenda — só podem ser adquiridos com a moeda desta geração: **o tempo.**

Já o oitavo poder, que nomeei **O MAIOR PODER DO MUNDO**, é o fundamento para uma vida extraordinária.

Criptonita: o antipoder

Exceto **O maior poder do mundo**, todos os outros poderes que regem o Universo têm uma "criptonita".

Sabe o que é isso?

Criptonita é aquela pedrazinha verde que aparece nas histórias do herói de ficção *Superman*. A criptonita é a única coisa capaz de enfraquecer o homem mais forte do mundo. Perto de uma pedra de *criptonita*, o *Superman* perde suas forças.

No decorrer deste livro, você perceberá que acredito que cada um dos poderes que adquirimos aqui na terra tem algo que o enfraquece. Fique atento a isso durante sua leitura.

Somente o poder que vem do alto, aquele que é concedido gratuitamente, somente ele não pode ser roubado, enfraquecido ou danificado por nada desta terra.

Somente quem o concedeu é que tem poder para retirá-lo.

Prepare-se! Você está prestes a descobrir
O PODER DOS
PODERES.

Pondo os pingos nos is — a moeda tempo

Você pode comprar dólares em uma casa de câmbio. Pode investir em euros ou economizar em libras esterlinas... Uma moeda valiosa "compra" os poderes existentes neste mundo. Ela vale tanto que, por mais recursos que se tenha, não é possível comprá-la.

Como disse anteriormente, essa moeda está disponível a ricos e pobres. Não é dólar, euro, real, ouro, nem *bitcoin*.

A valiosa moeda se chama **TEMPO**. Ao entender isso, você sentirá como se alguém estivesse tirando um tampão da sua frente e passará a enxergar tudo diferente.

Talvez, até aqui, você não tenha percebido ou nem sequer tenha noção de que esse é o segredo oculto na rotina dos bem-sucedidos. Pessoas de sucesso usam e usaram a moeda tempo de modo estratégico. O tempo tem mais valor que qualquer outra moeda.

É com o tempo que você "compra" o seu salário. Já parou para pensar que você investe horas do seu dia para, no fim do mês, receber um valor mensal pelo seu trabalho?

Pense, por exemplo, no maior ginasta, um medalhista de ouro nas Olimpíadas; ele não pagou 1 milhão de dólares para se tornar o número 1 do mundo. O que ele fez foi investir de 10 a 12 horas de cada dia, durante anos, para se tornar o melhor de todos!

Naquilo que você gastar o seu tempo é de onde obterá o resultado.

Que moeda você usa para comprar, por exemplo, um bom casamento? Dinheiro ou tempo? Outra pergunta: quando você chegar ao final da vida e olhar para trás, como gostaria de ser lembrado?

Quais lembranças você vai querer realmente carregar? E mais: o que deixará aos outros?

Isto será o seu legado. Legado se constrói com **TEMPO**.

Para onde você direcionar o tempo de que dispõe, ali estarão suas histórias e conquistas.

Todos carregam nos bolsos de sua jornada terrena a moeda tempo; tanto os que têm muito dinheiro quanto os que não têm. Ao tomar consciência de que o tempo é uma moeda, imediatamente você perceberá quão grande é a responsabilidade de pensar sobre como gastá-lo.

No decorrer da nossa caminhada por aqui, você e eu podemos adquirir os poderes mencionados e que movem o mundo. Entretanto, o maior poder do mundo não pode ser comprado. Esse outro poder — acredite! — você recebe gratuitamente.

Para comprar um ou mais dos sete poderes, você precisará organizar a mente e usar as mãos. Em outras palavras, inteligência e trabalho. Para conquistar o maior de todos os poderes, você precisará apenas do coração.

O tempo é uma poderosa moeda de investimento, mas pode ser um inimigo caso seja mal utilizado. De acordo com as minhas pesquisas, há duas principais diferenças entre um rico e um pobre:

> 1. Nível de conhecimento
> 2. Administração do tempo

A Lamborghini, empresa italiana que fabrica automóveis esportivos de luxo, ao lançar um novo possante, abriu mão de anunciá-lo na TV. Por quê? Acontece que quem compra Lamborghini geralmente não gasta tempo vendo televisão. Simples!

Observe que a maioria dos anúncios de um comercial de TV é para o público de média e baixa rendas. Tem mistério nisso? Sim! O tempo só é dinheiro para os que têm dinheiro. Para quem não tem dinheiro, o tempo é apenas algo que passa.

Quando digo que alguns dos poderes que regem o mundo terão de ser comprados com a moeda tempo, não com dinheiro, isso se deve, entre outros motivos, a textos milenares como este: "[...] a fé vem por se ouvir a mensagem, e a mensagem é ouvida mediante a palavra de Cristo" (Romanos 10.17).

Para ouvir é preciso ter dinheiro ou tempo? **TEMPO**. Além disso, a fé é um superpoder!

Poderes como a sabedoria, o dólar jamais irá comprar! Mas use o **TEMPO** para andar com pessoas sábias, para ler os livros certos e para orar a Deus pedindo por esse poder e, sim, você poderá obtê-lo!

Mentes brilhantes do mundo dos negócios já declararam que somos a média das pessoas com as quais convivemos, dos livros que lemos e das viagens que fazemos.

Conviver com pessoas exige TEMPO.
Ler exige TEMPO.
Viajar, apesar de custar dinheiro, também exige TEMPO.

Tudo que você quiser ser ou ter exige o investimento dessa valiosa moeda. Sem ela, o seu objetivo não irá se concretizar.

Segundo a Bíblia, Deus é o dono do ouro e da prata. A maioria de nós tem ouro e prata. Se você é casado, é provável que carregue um pouco de ouro no dedo.

No entanto, as Escrituras também afirmam que Deus é o dono do tempo. Só que sobre isso ele impôs limite. Os seres humanos podem ter ouro à vontade, mas, no que se refere ao tempo, há um limite.

Enquanto Deus vive na eternidade, nós estamos com os dias terrenos contados.

Então, responda-me, qual é a moeda mais valiosa, mais forte da terra? É aquela com a qual você pode comprar os poderes que a regem.

Comece a ler este livro com essa compreensão.

Uma vida extraordinária é aquela que transforma a vida de todos que estão a seu redor por meio dos poderes adquiridos durante sua jornada, ainda que para isso tenha de abrir mão de desejos ou objetivos pessoais por uma causa maior.

Paz e prosperidade.

1 O poder da informação

> **A informação vale hoje o que o petróleo valia antigamente.**

Certamente você já assistiu a muitos filmes ou seriados na televisão sobre o tema do poder. Mas talvez não tenha reparado naquilo que torna a personagem principal uma pessoa poderosa, um agente ou o centro do poder.

Se você já assistiu a *Narcos*, por exemplo, a premiada série da Netflix que conta a história de Pablo Escobar, o ex-chefe do Cartel de Medellín, pode notar quanto Escobar investiu em tempo e dinheiro a fim de ter informações privilegiadas que pudesse usar em seu próprio benefício.

Escobar detinha (antes de qualquer outra pessoa) informações úteis para serem usadas em seu próprio benefício, que vão desde onde a polícia estaria executando uma *blitz*, ou quem seria o próximo juiz na cidade a persegui-lo, até mesmo as datas que o avião com carregamento de drogas chegaria e o que o cartel inimigo estava planejando na região.

Toda informação era necessária para a ampliação de seu poder, e ele foi longe, até o dia em que a Polícia colombiana o alvejou no telhado de uma casa, colocando fim à carreira de um dos maiores criminosos sul-americanos.

É lastimável que o ser humano use poderes para o mal em vez de servir à humanidade. Mas saiba que isso é comum!

Mas também é verdade que a CIA, a Agência Nacional de Segurança dos Estados Unidos, vive exclusivamente da informação. Terroristas como Osama bin Laden não foram alcançados por sorte, mas por informações certeiras sobre seu paradeiro. Anos de investigação e compilação de informações foram necessários para que uma operação desse certo.

O exército de Israel, os fuzileiros americanos ou qualquer grupo militar de destaque investe mais na inteligência (em informações) do que em artilharia.

Em que você investe? Os nossos investimentos ajudam a definir o nosso futuro.

Antigamente, quando um grande bandido estava foragido, o cartaz que se espalhava pelas ruas dizia: "Paga-se pela informação que nos leve até seu paradeiro". Do mesmo modo, na trilogia *O poderoso chefão*, qualquer mafioso que levasse uma informação relevante a Don Corleone seria muito bem recompensado.

Claro está que não era somente na época retratada no filme, início do século XX, que a informação era moeda com muito peso no mundo dos negócios. Hoje em dia, tem ainda mais valor, já que vivemos na chamada era da informação.

Em nossos dias, a conquista e a manutenção do poder dependem de informações, de preferência exclusivas. A informação também confere velocidade e segurança a quem a detém.

Você se lembra da época em que íamos a um lugar desconhecido sem GPS? Parávamos de esquina em esquina pedindo informação; o sentimento de insegurança ou de que iríamos chegar atrasados era constante. Sem contar que não havia como descobrir onde estavam os engarrafamentos e acidentes à frente.

Sem dúvida, os aplicativos de GPS facilitaram a nossa vida, pois o que realmente fazem é dar informação prévia do que nos espera:

- A que horas você chegará.
- Que estrada você deve pegar.
- Em que rua estão os engarrafamentos.

Se houver acidentes no caminho ou até paradas policiais, você ficará sabendo e poderá escolher rotas alternativas.

Quanto pagamos por aplicativos como *Waze* ou *Google Maps*, por exemplo? Nada? Na verdade, pagamos. Eles nos dão informação e você paga com informação. Essa é a moeda.

As suas informações pessoais são registradas nesses aplicativos e, para eles, essa informação é valiosa.

A informação é algo tão importante e essencial nos negócios e na vida que, se alguém obtiver uma informação privilegiada a ponto de lesar um concorrente, essa concessão de informação vira crime.

Todo homem em busca de poder paga caro por uma informação.

Recentemente, segundo os principais jornais do país, um megaempresário brasileiro, presidente de um grande grupo empresarial, controlador de grandes frigoríficos, foi acusado de obter grande lucro no mercado de capitais por causa da delação que ele fizera à Operação Lava-Jato da Polícia Federal.

Ele sabia que a divulgação do que contara teria consequências no mercado; por isso, antes de qualquer coisa, agiu em seu favor.

Mesmo antes da era da informação, as coisas já eram assim, de modo que justifica a informação ser um dos poderes que regem o mundo o tempo todo. As pessoas sempre têm algo a ganhar com uma informação preciosa.

Certa vez, ouvi a história de um jovem empreendedor que tinha cerca de R$ 5 mil para investir e começar um negócio do zero. Ele tinha o sonho de abrir uma loja de artigos esportivos e, um dia, um amigo de infância, que trabalhava na prefeitura da cidade, comentou sobre um novo projeto recém-aprovado. A construção do primeiro grande *shopping center* da região.

Ao receber tal informação gratuita e por acaso, o jovem empreendedor decidiu adiar o sonho da loja e comprar um pequeno terreno na região onde o *shopping* seria construído. Custou R$ 4.500,00.

Dois anos depois, aquele terreno valia quinze vezes mais o valor inicial, e o jovem montou sua loja dentro do próprio *shopping* sem dever nada a ninguém.

Quantos anos esse sonhador levaria para chegar a seu objetivo se uma preciosa informação não chegasse antes?

Há campanhas médicas que usam o precioso *slogan*: "A informação é o melhor remédio". Reforçam que estar informado sobre a causa das doenças pode prevenir até 67% delas.

Há pessoas que contraíram o vírus HIV no passado, pois não tinham a informação de que um preservativo poderia tê-las protegido dessa doença. Portanto, uma informação pode livrar você da morte.

O mesmo podemos dizer das placas em rodovias cuja indicação denota PERIGO! Algo tão simples como uma placa de trânsito pode salvar motoristas e pedestres de um choque fatal.

Veja o caso de Davi, famoso personagem bíblico. Enquanto Davi vivia dias de completa tranquilidade e segurança, seu sogro e rei, Saul, tinha intenção de matá-lo, algo que ele jamais imaginaria que pudesse acontecer.

No entanto, Jônatas, seu melhor amigo e cunhado, transmitiu-lhe uma poderosa informação: "Fuja hoje mesmo, Davi, pois o meu pai tentará matar você". O que seria da nação de Israel se essa informação não tivesse chegado a tempo a Davi?

O próprio Davi não fazia nada sem antes obter as informações necessárias. Em 1Samuel 30, temos o relato de que o futuro rei Davi, ainda fugitivo e forasteiro nessa época, chega à cidade onde vivia escondido, de nome Ziclague. Lá descobre que esta fora saqueada pelos amalequitas, povo inimigo, e que suas esposas e filhos tinham sido sequestrados.

Toda a cidade estava em alvoroço por causa de tamanha violência e pelas perdas que tinha sofrido, a tal ponto de os moradores tomarem pedras nas mãos para ameaçar Davi.

Aqui vemos que um dos segredos do sucesso, da assertividade e da longevidade de Davi era o foco do futuro rei em obter informações exclusivas. Mesmo sob forte pressão emocional, ocasionada pela perda da família e de seus bens, mesmo sofrendo ameaças à própria vida, Davi preferiu, antes de tomar qualquer decisão, buscar uma informação que lhe era fundamental.

Só existe opção quando há informação. Ninguém pode dizer que é livre para ir aonde quiser; se só conhece UM caminho.

Ele pede ao sacerdote o manto de oração e consulta ao SENHOR, conforme nos diz 1Samuel 30.8: " 'Devo perseguir esse bando de invasores? Irei alcançá-los?'. E o SENHOR respondeu: 'Persiga-os; é certo que você os alcançará e conseguirá libertar os prisioneiros'."

Aqui nos damos conta de mais uma função da oração:

Orar é consultar quem já viu o seu futuro!

Naquele dia, Davi recuperou tudo o que tinha perdido, pois, antes de se desesperar, preferiu obter uma informação segura.

NOVO PETRÓLEO, INFORMAÇÃO E NEGÓCIOS

Eu não tenho dúvida nenhuma de que a informação é o ativo mais valioso de uma economia. Algumas revistas de *business* a denominam de o "novo petróleo".

Isso mesmo! Esse é o valor que estão dando à informação. Só que os novos xeiques são os empreendedores digitais, como Jeff Bezos, Mark Zuckerberg, Elon Musk, Tim Cook, Larry Page e outros bilionários que sabem que o maior negócio do mundo é a informação.

Agora, pasme, o que mais tem valor para eles é a informação sobre você!

O Facebook comprou o aplicativo WhatsApp por cerca de 16 bilhões de dólares, mesmo que esse aplicativo seja GRATUITO para o público em geral. Por que pagar tanto por um serviço que pode ser adquirido de graça?

É exatamente aí que está o poder!

Aplicativos como o WhatsApp, bem como o Facebook, sabem muito, ou quase tudo, sobre você. Os seus gostos e preferências, os lugares onde você esteve e que tipo de consumidor você é.

Por isso, algumas empresas investem milhões para anunciar no Facebook e direcionar o anúncio, por exemplo, para "pessoas de 25 a 45 anos, que sejam casadas, cristãs e morem no Rio de Janeiro, Brasil".

Impressionante, não?

A rede de supermercados *Target*, dos Estados Unidos, pagou milhões de dólares para levantar a informação sobre o comportamento de seus clientes. Em dezesseis meses, concluíram que os que mais gastavam e que não reparavam em gastos eram os pais de primeira viagem. A pesquisa revelou que eles ficam sob um efeito emocional tão poderoso que compram tudo e do mais caro pelos impulsos emocionais de terem o primeiro bebê.

Com essa informação, a *Target* investiu em um setor ainda maior para filhos e papais de primeira viagem. Resultado: triplicou o faturamento.

LEVANTANDO AS INFORMAÇÕES CORRETAS

Aprendi sobre o poder da informação de diversas maneiras. A primeira delas foi quando eu estava absolutamente quebrado do ponto de vista financeiro, com uma enorme dívida a pagar, abandonado pelos "amigos" e sendo zombado pelos "inimigos".

A minha esposa e eu decidimos investir os últimos centavos que tínhamos para levantar informações do negócio que queríamos iniciar. Eu fiz uma lista de habilidades pessoais e descobri que: eu falava bem em público; tinha talento e paciência para escrever; dominava as ferramentas de *coaching;* tinha uma excelente *networking.* Essas habilidades eram fruto de um preparo inconsciente, não intencional, que tive durante a vida.

Uni esses dados a outros estudos — dessa vez totalmente intencional — e leituras objetivas e apliquei tudo no meu dia a dia. Reuni diplomas que tinha conquistado e somei com a experiência de superação que estava atravessando. Em pouco tempo, os resultados positivos foram chegando, chegando e chegando. Portanto, concluir que eu deveria fundar um instituto de liderança e *coaching* não foi difícil.

Tiramos o foco da dor, da necessidade, da humilhação e de todo sofrimento e privação pelos quais estávamos passando e usamos as nossas forças em FOCAR nas informações de que precisávamos para uma nova etapa de vida.

No *top five* das coisas que me tiraram do poço das dificuldades, certamente a informação está lá. O passo seguinte foi usar os recursos disponíveis para descobrir quem eram as pessoas que precisavam e pagavam por receber *coaching.*

Que tipo de empresas ou instituições precisavam atualizar a liderança? Quais eram as reais necessidades do ser humano do século XXI? Foi com essas informações em mãos que demos um tiro certeiro com o Instituto Destiny.

Há muitas situações para se ver além do que está à nossa frente. Ou seja, FOCAR é importante, mas saber o que está acontecendo nas "redondezas" significa ter informações preciosíssimas quando mais precisamos delas. É exatamente essa informação que faz o craque de futebol olhar para o lado esquerdo e dar o passe para o companheiro que está no lado direito, confundindo a defesa inimiga e tendo mais chances de gol.

É importante ter um foco, mas também ter informações relevantes daquilo que não se enxerga. No processo de busca, percebi que as informações vêm de todos os lugares: um vizinho que conta uma história, uma série de TV a que você assiste, um livro que você lê, vídeos na internet, jornais impressos, entre outros.

O cérebro humano é como um HD de computador que registra tudo o que entra pelos cinco sentidos. Em especial, pela audição e pela visão. Por isso, ser seletivo com o tipo de informação que se recebe é fundamental para o equilíbrio emocional, para o aumento do conhecimento específico e principalmente para não saturar o seu "HD" com informações desnecessárias, que nunca servirão para nada.

**Se você quer ser efetivo,
corte toda informação inútil.**

Em vez de se entreter com uma novela, invista a moeda desta geração, o tempo, assistindo a uma palestra ou a um documentário que acrescentarão informações necessárias para o cumprimento do seu propósito de vida e para o fortalecimento da sua ICP.

PROPÓSITO[1]

Nos nossos cursos e seminários de liderança pelo Instituto Destiny, costumo apresentar a palavra "propósito" como a sua ICP — ideia central permanente. A ICP é aquela que, independentemente do projeto ou fase da vida que você esteja vivendo, domina o seu coração. É uma ideia que ocupa o centro de todas as outras ideias da sua vida. E mais: ela é permanente. Para sempre.

Isso é propósito!

[...]

Quando você tem uma visão, tem futuro.

Quando você tem uma missão, é produtivo, não ocupado.

Quando você tem um propósito, tem sentido na vida.

A ICP é o que mantém você vivo diante das contrariedades da vida. É o que mantém você íntegro na casa de Potifar. É o que preserva você nos anos de fome.

---

[1] Trecho do livro **12 dias para atualizar sua vida**, São Paulo: Editora Vida, 2017, p. 38-40.

Desvendar e viver o seu propósito todos os dias é o segredo de uma vida atualizada.

Quem tem propósito valoriza o seu tempo, pois sabe aonde quer chegar.

Quem tem propósito não anda com qualquer pessoa, pois sabe que, na companhia de tolos, nos tornamos iguais.

Quem tem propósito não se ofende, pois sabe exatamente quem é. Quem tem propósito vive seu destino, não o dos outros. Não sente inveja, pois sabe para o que foi chamado.

Quando descobri a minha ICP há alguns anos, dei-me conta de que tudo o que eu fizera na vida, em todas as fases pelas quais passei, em todas as situações que vivi, uma ideia central nunca se afastou de mim: treinar pessoas!

Quando eu dirigia uma empresa de turismo, amava levar as pessoas para Israel a fim de estudar mais a Bíblia; quando pastor, só me envolvia em cursos bíblicos e aulas teológicas; e, como *coach*, nem preciso explicar, o próprio nome define.

Foi aí que percebi que havia nascido para treinar pessoas. E, quando descobri isso, caiu a ficha que, em uma seleção de futebol, eu seria o Tite (atual treinador da seleção brasileira), não o Neymar.

Eu definiria as táticas, mas o Neymar faria o gol. Eu ganharia um bom salário, mas o Neymar ganharia muito mais.

Eu seria conhecido, mas nunca chegaria próximo à fama do atacante.

Quando descobrimos a nossa ICP, jamais nos comparamos com os outros, pois sabemos exatamente qual é a nossa função.

A vida deve ser de sacrifícios, não de sofrimentos. Sacrifique-se pelo seu propósito e nunca sofra por falta de conhecimento e reconhecimento.

Defina a sua visão, a sua missão e o seu propósito (ICP) e prepare-se para receber um novo *layout*.

As pessoas vão se lembrar de você por aquilo que elas viram em você!

Encerro este capítulo com uma linda frase de Benjamin Disraeli (1804-1881), o grande ex-primeiro-ministro do Reino Unido durante o reinado da rainha Vitória:[2]

"Não gaste tempo com coisas que não agreguem informações relevantes! O conhecimento sempre é melhor que o entretenimento".

Ciente disso, decidi destinar o uso da minha moeda mais preciosa na busca pelo maior poder do mundo. Sem ter a mínima ideia de que já o carregava dentro de mim.

---

[2] Frase geralmente atribuída, na internet, a Disraeli. Não há referência em livros.

"A vida já é muito curta para ser pequena."
— Disraeli

Resolvi fazer uma lista dos objetivos a alcançar e das metas que deveria traçar para chegar ao resultado dessa busca. Entre as muitas coisas que relacionei, constava a missão de entrevistar, em outros países, homens poderosos, com influência e resultados comprovados, reconhecidos pelas lideranças no mundo moderno. Tarefa nada fácil!

> Você só pode usar o que já sabe que tem. Quem não sabe o que possui, inabilita as possibilidades de futuro.

A lista dos homens mais poderosos que eu considerei não era uma lista qualquer, muito menos de pessoas que faziam parte da minha rotina. Não! Elas eram pessoas que aparecem nos noticiários e, às vezes, são tão poderosas que não aparecem em lugar algum — quem aparece são seus assessores e secretários.

Quando me propus a escrever uma lista pessoal de homens influentes, que decidem o destino de milhões de pessoas, que ditam normas, criam padrões, formulam paradigmas sociais que mais tarde são aceitos e adotados em um ou mais países, a imagem de cada um deles me veio à cabeça quase instantaneamente.

Para dar a você uma ideia da ousadia dessa lista, imagine que no topo dela estava o nome de um banqueiro brasileiro, que é um dos homens mais ricos da América Latina. O nome desse "guru das finanças" não saía da minha mente. Afinal, os bancos são poderosíssimos. Guardam fortunas (e segredos!) e sabem como ninguém multiplicá-las.

Os bancos sabem e veem aquilo que nós não vemos sobre as outras pessoas poderosas. Isso diz alguma coisa a você? Uma empresa pode se expandir extraordinariamente, abrir filiais em vários países e continentes. Mas o sistema bancário é uma trama que interliga pessoas em um nível global e pode ultrapassar a expansão da empresa mais poderosa do Planeta.

O Brasil enfrentou uma severa recessão no início da segunda metade da década de 2010. A população do país contava pouco mais de 200 milhões de brasileiros e, em 2016, chegou a ter cerca de 14 milhões de desempregados.

Foram dias tristes, quando lojas, escritórios e fábricas fecharam as portas. Empresas de pequeno e médio portes desapareceram do mercado. O caos foi grande nos setores comercial, industrial e de serviços.

Com isso, houve acúmulo de dívidas e muitas famílias perderam seus imóveis, carros ou bens. O empobrecimento da população era perceptível.

Mesmo assim, há um dado informativo, que você já deve saber, que nos impressiona: em 2016, apesar de todo o declínio econômico geral, os bancos tiveram lucro. Para ter uma ideia mais precisa de que não se tratou de um lucro simbólico ou pequeno em relação a anos anteriores, os quatro maiores bancos do país fecharam o ano fiscal de 2016 com R$ 50,29 bilhões de lucro líquido (deduzidas todas as despesas), de acordo com dados da Economatica, reconhecida empresa de informações financeiras.

Na crise econômica brasileira, com a quebradeira geral e o desemprego atingindo patamares elevados, os bancos se mantiveram fortes. Portanto, deveria haver um poder que assegurasse essa blindagem, que provesse vigor e solidez aos bancos, e eu precisava saber qual era esse poder.

Isso quer dizer que, se o setor bancário passa tranquilo por uma das maiores crises da nossa história, seria o primeiro lugar onde eu procuraria a resposta para o meu questionamento. Foi folheando uma revista de negócios que cheguei ao nome do banqueiro que escrevi no topo da minha lista. Certamente o poder do dinheiro seria a causa de serem indestrutíveis.

Tive a convicção de que um dia aquele homem me ajudaria a encontrar uma resposta e hoje eu a tenho comigo. A saga foi longa. Definitivamente, não é fácil conseguir dois minutos de reunião com um dos homens mais ricos da América Latina. Eu imaginei alguém que pudesse me colocar diante daquele banqueiro. Sempre fui bem relacionado; pelo menos esse era um poder que eu tinha: a minha *networking* era gigante!

Convencido de que haveria alguém do meu círculo de relacionamentos que poderia fazer que eu chegasse até ele, tracei uma estratégia: sempre que conversasse com grandes empresários, artistas e outras pessoas influentes com as quais costumeiramente me encontro, eu teceria algum elogio ao tal banqueiro.

Desse modo, poderia provocar uma resposta do tipo: "Ah, eu o conheço" ou "Sim, ele realmente é assim. Estive com ele dias atrás". Seja lá o que estivesse conversando com as pessoas do meu círculo pessoal, eu dava um jeito de encaixar o comentário do tipo: "É como disse o banqueiro numa entrevista que eu li esses dias...".

De tanto insistir nessa estratégia, ou alguém desconfiaria da minha insistência ou... Certa vez, num almoço com empresários, depois de eu dizer algo sobre o número 1 da minha lista, um deles emendou:

— Ele realmente sabe das coisas. E é uma pessoa maravilhosa...

Opa! Era o que eu precisava ouvir. Era o sinal de alguém por perto que conhecia o banqueiro que era alvo das minhas buscas. Depois do almoço, eu me aproximei desse empresário, estiquei a conversa com ele mais do que com os demais e, já no finalzinho do papo, perguntei se ele poderia me passar um contato do banqueiro.

— Eu gostaria muito de fazer uma pergunta a ele — expliquei.

E a resposta que ouvi foi:

— Eu já vi gente procurá-lo pra tudo, menos para fazer uma pergunta — disse o empresário, aos risos.

Ele tinha alguma razão. Quem procuraria um banqueiro para fazer uma pergunta? E o "nosso homem" certamente estava acostumado a receber gente que precisava de um grande investimento em seus negócios, políticos que necessitassem de dinheiro para uma campanha eleitoral, governantes em busca de parcerias para impulsionar as áreas social, de infraestrutura e de cultura de suas cidades, estados e até do país. Mas ser procurado por alguém que quer fazer uma pergunta? Um tanto inusitada a minha intenção. Mas isso era tudo o que eu queria e precisava.

O empresário acabou convencido e passou o telefone da secretária do banqueiro. Mas advertiu:

— Ele é ocupado, nem sempre está no país. Melhor falar com a secretária...

Ótimo! Aquele era o primeiro passo. E, como se tratasse do nome que ocupava o topo da lista, era animador saber que dali por diante talvez as coisas pudessem ser mais fáceis.

Como já se aproximava o final de semana, deixei para ligar para a secretária na segunda-feira seguinte. Quando liguei, ela atendeu o telefone, e a minha euforia pela conquista bateu à minha porta outra vez. Senti que estava perto da descoberta do segredo poderoso que mantém uma instituição a todo vapor, lucrando, crescendo, prosperando, enquanto o mundo ao redor se dissolve.

Expliquei-lhe quem eu era e o que queria. Quando contei ao meu amigo pessoal, com quem eu almoçara, que queria fazer apenas uma pergunta, ele riu de mim. Mas a secretária não poderia fazer o mesmo.

Voltei a dizer que apenas queria fazer uma pergunta ao empresário, e, como era de esperar, ao contrário do meu amigo empresário, ela não riu. Apenas disse: "Não". Eu insisti, explicando que estava escrevendo um livro sobre o tema X e que a resposta dele era fundamental para o êxito da minha pesquisa.

Dessa vez, ela reagiu de outra maneira:

— Desculpe, senhor Tiago. Não entendi — disse, de forma bem-educada.

— Eu preciso fazer uma pergunta a ele e gostaria que fosse pessoalmente.

Isso era importante para mim. Era preciso ver a reação dele, pois as expressões faciais do entrevistado me fariam entender melhor o teor da resposta.

Não queria dele apenas uma frase, no máximo duas. Queria ver o impacto que a pergunta provocaria, sua expressão facial, o comportamento de suas mãos, a direção dos olhos, se ele passaria as mãos nos cabelos, se desconversaria ou tentaria dissimular e esconder algo. Em outras palavras: eu precisava estar na frente dele de qualquer forma.

Além disso, estar pessoalmente com o meu entrevistado aumentaria as chances de ele responder logo depois de ouvir a pergunta, isto é, eu contaria com o fator surpresa. Se eu fizesse a pergunta por telefone e a secretária dele lhe transmitisse a pergunta, o banqueiro poderia não responder, ou poderia pedir um tempo para pensar, ou, ainda pior, pediria que a secretária respondesse no lugar dele.

Convenhamos: o meu pedido era para lá de incomum. Eu sabia disso.

A secretária prometeu ligar de volta para marcar uma reunião. Então eu estranhei. Afinal de contas, eu não precisava de uma reunião; e imaginei que, se ela dissesse que queria "uma reunião", as minhas chances poderiam ser drasticamente reduzidas. Quinze dias depois do telefonema, eu ainda não tinha recebido nenhuma resposta. Mas, como citei no livro *Rumo ao lugar desejado*, "A paciência é uma virtude de quem sabe o que quer".

Decidido, insisti e voltei a ligar para o número da secretária. Quando ela atendeu, disse se lembrar de mim e pediu desculpas. Contou que a agenda do chefe estava muito cheia.

— Eu só preciso de um minuto — disse, e isso era bem menos do que uma reunião. Ela novamente prometeu me telefonar em breve, mas não o fez, como da primeira vez.

O passo seguinte foi montar uma "agenda" de telefonemas pró-entrevista: voltar a ligar a cada quinze dias, repetindo a mesma história, contando sobre o livro, explicando o que eu queria, afirmando que seria rápido. Também a lembrava de que tinha conseguido esse contato com um grande empresário — e, numa dessas vezes que falei com ela, descobri que o empresário não era amigo do banqueiro, e sim um conhecido.

Três meses depois da primeira ligação, a secretária parecia estar sensibilizada com a minha busca.

Eu não queria dinheiro emprestado ou tirar uma foto com ele. Só queria fazer uma pergunta! Ela finalmente se convenceu. A tal ponto que me deu uma dica, tentando facilitar as coisas para mim:

— Quinta desta semana ele vai palestrar num evento para empresários. Será no centro de São Paulo. Por que você não vai até lá?

Imediatamente eu disse que iria:

— Vou. Vou, sim. A que horas ele vai chegar?

— Às 9 horas — respondeu. E continuou: — Quando você se aproximar dele, fale em meu nome. Eu vou deixá-lo avisado.

Novamente aquela euforia de quem está perto de concluir um projeto importante voltou a tomar conta de mim. Finalmente eu teria o encontro com um dos homens mais ricos do continente. Aquele banqueiro é tão poderoso e rico que as riquezas de seu cofre valem mais que o produto interno bruto de alguns países latino-americanos.

Eu cheguei ao local da palestra às 8 horas. Estava vestido com o meu melhor terno (que nem era tão bom assim) e fiquei esperando o momento propício. O lugar já estava cheio de engravatados. Além do banqueiro, o governador do Estado participaria do evento, na verdade, era o protagonista na ocasião. O evento trataria do papel da iniciativa privada na sociedade de hoje.

Pouco antes das 9 horas, quatro carrões pretos pararam na porta do local marcado. Além desses carros, outros carros da Polícia Militar também estacionaram, pois faziam a escolta. Um dos carros trazia o governador. Outro carro trazia o banqueiro e um grande ruralista.

Ao que parece, a chegada deles ao mesmo tempo não havia sido programada. Mas acabou sendo útil para mim, porque os repórteres que estavam ali na porta para cobrir o evento queriam ouvir a opinião do governador sobre um tenebroso caso de segurança pública que tinha acontecido na noite anterior, na cidade de São Paulo, e isso levou o enxame de jornalistas em direção ao governador, deixando o banqueiro mais livre e desimpedido.

O banqueiro nem sequer conseguiu se aproximar do governador para cumprimentá-lo, tamanha a aglomeração de repórteres. O político estava cercado por jornalistas dos principais meios de comunicação, que emendavam uma pergunta a outra sobre o caso recente.

Foi nesse momento que eu me aproximei do banqueiro e o chamei pelo nome. Imagino que ele tenha pensado que eu também era um repórter, pois foi logo dizendo que tinha grandes expectativas para a reunião de hoje, sem que eu tivesse feito nenhuma pergunta! Então eu disse:

— Eu me chamo Tiago Brunet e estou escrevendo um livro. A sua secretária me orientou a procurar o senhor aqui. Quando disse isso, um segurança pessoal chegou perto de nós dois. Achei que ele me impediria de continuar a conversa. Mas o banqueiro respondeu:

— Vamos entrar. Aqui estamos expostos.

Fomos caminhando para o local onde seria a palestra, enquanto o governador ficou para trás, cercado pela imprensa. Inicialmente, o banqueiro se mostrou reticente. Para agravar a situação, um de seus assessores pessoais, daqueles que carregam a pasta do chefe, não desgrudou de nós o tempo todo.

Não demorou muito e o cerimonialista se aproximou do banqueiro, pedindo que ele o acompanhasse até uma sala, onde seria servido um café. Ali ele poderia esperar até o início do evento. Imaginei que seria pouco provável que me deixassem entrar em tal sala, reservada para os grandes nomes do dia e onde outros políticos e empresários o aguardavam; por isso, fiz a pergunta ali mesmo, no corredor, nos poucos metros que me restavam ao lado do banqueiro.

A pergunta foi feita sem cerimônia:

— Queria sua opinião... Qual é o maior poder do mundo?

Ele me olhou surpreso, escondendo um tímido sorriso no canto da boca. Antes de abrir a boca, coçou a sobrancelha direita duas vezes.

— O que, rapaz?

— Qual é o maior poder do mundo? — repeti.

Ele riu. O homem de bilhões de reais achou graça da minha pergunta.

— Que pergunta curiosa — disse, em vez de dar a resposta. — Por que você está me perguntando isso? Você está há meses atrás de mim para perguntar isso?

Isso mesmo. Meses. Eu aguardava aquele momento para fazer uma pergunta com sete palavras e esperava uma resposta. Ele continuou:

— Li sobre você, sei que não tem tempo a perder, senhor Brunet. O que realmente quer saber?

Enquanto ele rebatia com outra pergunta para mim, o final do corredor ia ficando mais próximo e a porta na qual eu teria de me despedir estava logo ali, diante de nós. O banqueiro estava surpreso, mas, ao mesmo tempo, pensativo. Será que a pergunta o deixou tão embaraçado? Nunca teria parado para pensar nisso antes?

Chegamos ao final do corredor e paramos diante da porta da sala. Era agora ou nunca! Ele fez sinal para os seguranças e avisou à cerimonialista que logo entraria. Eu avancei:

— O senhor é um homem poderoso, um dos mais ricos do mundo...

— Não é bem assim — esquivou-se, dando um leve sorriso.

— O senhor não chegou até aqui à toa. Venceu muitas batalhas até ser quem é. Por isso, a sua opinião é importante para mim.

Naquele momento, a minha cabeça funcionava como um *chip* de computador, processando as informações que eu tinha sobre ele. Vasculhava as lembranças de tudo o que já havia lido. As notícias dos jornais, das revistas e da internet passavam rapidamente pela minha cabeça, e eu esperava encontrar uma que pudesse desatar o nó na cabeça dele e fazê-lo responder à minha aparentemente simplória pergunta: "Qual é o maior poder do mundo?".

Aquele homem tinha (e tem) um verdadeiro império, através do qual várias empresas se tornaram sólidas. Ele comprou ações de concorrentes e no período de vinte anos ampliou seus negócios em mais de 50 vezes. Suas operações financeiras se estendem à Europa e aos Estados Unidos.

Além disso, ele conhecia como poucos a política e o sistema econômico brasileiro, bem como o internacional. Ele tinha conseguido tudo isso com dinheiro. Mas o que eu queria, na verdade, era ouvir isso da boca dele. E, se não fosse o dinheiro, então que ele dissesse por conta própria o que era, ou o que não era.

O tempo, aquele de que falamos no início do capítulo, estava se esgotando! A minha busca terminaria de forma legítima, independentemente da resposta que ele desse, mas algo era preciso ser dito. Chegamos ao ponto da nossa brevíssima "reunião" em que ele certamente daria a resposta.

Depois de falar com o cerimonialista que entraria em seguida, o empresário novamente olhou para mim e disse:

— Gostei da sua pergunta. Ela me fez pensar.

— Que bom — devolvi.

Ele pediu que eu chegasse um pouco mais perto dele, enquanto fazia sinal para que a porta da salinha fosse aberta. Eu cheguei mais perto dele, aproximando o meu ouvido esquerdo em sua direção.

— Não tenha dúvidas, rapaz, e anote para nunca se esquecer: o maior poder do meu mundo é a informação.

Ele não disse dinheiro! Eu tinha certeza de que ele responderia que o dinheiro é o maior poder do mundo. Pelo menos creio que é isso que as pessoas pensam que um banqueiro, magnata, multimilionário diria. Mas ele não seguiu o senso comum quando disse que a informação é o maior poder de seu mundo.

> A nova fonte de poder não é dinheiro nas mãos de poucos, e sim informação nas mãos de muitos.
> — John Naisbitt

Você já reparou que as pessoas que fazem algo errado, na maioria, quando são corrigidas, dizem: "Desculpe, eu não sabia"? Não saber é a resposta dos desinformados, dos que sempre serão repreendidos por alguém e constrangidos por seus erros. Certamente o conhecimento é um poder, mas devo lembrar que ele é fruto da informação que produz saber.

Ou seja, quando a Bíblia diz: "Meu povo foi destruído por falta de conhecimento" (Oseias 4.6), está claramente se referindo à falta de informação. Quando não temos informação, ficamos por anos fazendo algo que não era necessário fazer e vice-versa.

Abro aqui um parêntese para lembrar você de que no livro *12 dias para atualizar sua vida*, dediquei um capítulo inteiro ao poder da comunicação. Ela não é um dos maiores poderes do mundo, mas é um poder. Sem comunicação, não há avanço. Aproveite para ler ou reler esse capítulo durante o tempo que você dedica a seus estudos!

QUANTO VALE A INFORMAÇÃO?

A informação é algo tão valioso que candidatos à presidência de um país fazem loucuras para obtê-la antes das eleições. Vale tudo para estar à frente dos concorrentes. Veja o caso *Watergate* nos Estados Unidos. O presidente Richard Nixon, que havia sido eleito pela primeira vez em 1968 e tentava a reeleição em 1972, usava informações secretas do FBI e da CIA para ter vantagem sobre o partido Democratas.

Esse escândalo gerou sua renúncia.

Diga, por que o terrorismo concluiu com sucesso alguns de seus ataques públicos? Porque os órgãos de inteligência não conseguiram informações suficientes que impedissem a tragédia.

Certo dia, em um grande engarrafamento na cidade do Rio de Janeiro, a minha esposa ficou tão impaciente com a demora que, ao avistar um restaurante, disse: "Amor, vamos desistir de ir a esse evento. Vamos parar aqui e comer alguma coisa. Ficaremos três horas neste trânsito!".

Antes de atender a seu pedido, resolvi ver no aplicativo de GPS se havia alguma outra saída. O aplicativo revelou que o megatrânsito à frente era fruto de um acidente entre dois carros e que depois de 2 quilômetros a estrada ficaria livre.

Acreditar ou não acreditar, eis a questão!

Uma pequena discussão no carro surgiu, mas decidimos arriscar e vencer a impaciência. Doze minutos depois, as ruas ficaram livres e estávamos no caminho rumo ao evento. Chegamos a tempo para o nosso compromisso e tudo entrou em ordem.

A informação vale muito! Quantas pessoas desistem porque não têm a informação necessária para saber que dois meses depois a vida poderia melhorar muito? Que em um ano mais de espera a promessa chegaria?

Pense em sua vida agora e me responda: Quanto vale uma informação?

INFORMAÇÕES QUE SALVAM O MUNDO: O CASO DE NOÉ

Veja este caso bíblico clássico. Há pelo menos seis mil anos, Noé recebeu a informação de que haveria um dilúvio, ou seja, as águas inundariam o mundo. Mas até aqueles dias nem sequer havia caído uma chuva como essas que vemos destruir cidades nos Estados Unidos ou provocar enchentes em cidades brasileiras como São Paulo.

O que seria esse tal dilúvio? E que garantias teria de que, de fato, algo novo aconteceria? Noé construiu uma arca de madeira betumada por dentro, enquanto os que não possuíam a mesma informação zombavam de seu trabalho.

Muito tempo depois, a chuva chegou, aumentou de intensidade, até que se tornou um dilúvio, e só a família de Noé foi salva. Noé recebeu a informação sobre o dilúvio, mas também toda a arquitetura da arca que deveria construir. Cada detalhe foi instruído por Deus.

> **Quem não possui a informação que você tem, vai desdenhar do que você está fazendo.**

A instrução faz toda a diferença na hora de usar uma informação. Se Noé tivesse a informação de que as águas inundariam a terra, mas não tivesse a instrução do que deveria fazer, só teria o desespero como companheiro.

Por causa da instrução, Noé não apenas tinha as medidas e o formato da arca, como também o motivo pelo qual ela estava sendo construída. A instrução definitivamente dá sentido à informação.

Noé não deveria construir um cruzeiro, mas um barco de resgate. Se a informação não é levada a sério, podemos confundir detalhes e mudar todo o destino de uma história. A graça que estava sobre Noé fez que, entre milhões de moradores na terra, ele fosse o escolhido para esse projeto de salvação, simplesmente porque se deu conta de que seu negócio não era o entretenimento, mas o resgate de todo um povo.

Por vezes, já dominamos alguns "poderes", como o poder do dinheiro ou da fé, e ainda assim ninguém conta conosco para fazer nada. Existe um poder que funciona como um ímã. Todos querem estar perto de você.

Noé era um homem justo e bom, e até Deus queria andar com ele. Além da informação que Noé obteve, algo nessa história me chama a atenção. Está registrado em Gênesis 6.8: "[...] Noé achou graça diante do Senhor" (*Almeida Revista e Atualizada*).

A maneira pela qual você compila, administra e usa as informações determina se vai ganhar ou perder.
— Bill Gates

Lembre-se: cada poder é enfraquecido por uma criptonita. No caso da **INFORMAÇÃO**, o que a debilita é a ignorância e fatores ligados à falta de conhecimento. Fique atento para que os poderes que você adquirir não percam forças durante sua caminhada nesta terra.

Prossigamos na nossa jornada! A busca só está começando.

Conquistando o poder da informação

Como você acha que é possível conquistar o poder da informação a partir de hoje?

_____
_____
_____

Você lê jornais, revistas ou blogs informativos diariamente?

_____
_____
_____

De quem você pode se aproximar para buscar informações relevantes sobre sua área de atuação?

_____
_____
_____

Você acredita que a informação é um poder que move o mundo?

_____

_____

_____

De quais formas você está disposto a investir para ter mais acesso a informações no futuro?

_____

_____

_____

Ao seu modo de ver, além da ignorância, quais são outras criptonitas da informação?

_____

_____

_____

2 | O poder do dinheiro

Tudo se paga com dinheiro.
— Eclesiastes 10.19

— Consegui!

Mesmo tendo filhos pequenos por perto (na época eram dois. Hoje, são três), a nossa casa é tranquila e relativamente silenciosa. Bem, isso quando eles não estão às avessas, gerando um pequeno caos por causa de um brinquedo. Fora isso, sempre há silêncio. Um recanto sereno.

Mas, naquele dia, eu comecei a gritar dentro de casa, como poucas vezes tinha feito. Havia um motivo muito bom para quebrar a rotina, romper o silêncio. Eu estava comemorando o fato de ter conseguido me conectar com o latino-americano mais influente da atualidade.

Depois de ir a várias das conferências dele, de vê-lo falar a grandes grupos de espectadores, a minha chance finalmente chegara. Numa dessas vezes em que fui a seu país para assistir à sua apresentação, tentei uma aproximação mais efetiva. Já que estava investindo na minha vida e carreira, precisava demonstrar-lhe quanto eu considerava importante estar ali e sentar para ouvi-lo.

Para que ele soubesse disso, levei um presente pessoal, conforme aprendi no livro de Provérbios. Lá, o sábio autor nos orienta: "O *presente* abre o caminho para aquele que o entrega e o conduz à presença dos grandes" (Provérbios 18.16, grifo nosso).

Poderia a sabedoria milenar bíblica errar? O autor do livro de Provérbios foi um homem rico. Na verdade, foi o mais rico que já existiu. Certamente, seus conselhos devem fazer sentido e podem mudar um encontro de simplesmente "estar ali" para um "Olá! Fale-me mais sobre você".

Os presentes abrem portas. Acredito que a gentileza de levar-lhe um presente de que gostasse (procurei saber com pessoas próximas à família dele quais eram seus principais gostos) teve importância, pois, depois da longa conversa que tivemos, ele se interessou pela minha empresa e quis saber mais sobre os meus projetos; e, melhor ainda, disse que me daria seu número de telefone. Um passo a mais para aprofundar o contato.

Pensando friamente, isso já seria suficiente. Aquele homem tão admirado me disse que eu tinha liberdade para chamá-lo quando quisesse e que poderia fazer-lhe perguntas à vontade. A razão para isso?

Simples: no nosso encontro, fiz questão de deixar claro o meu interesse em ser mentoreado por ele.

Ele percebeu que a minha intenção não era obter informações dele e depois simplesmente voltar para o que me interessava. Ou pior: como mais um que chega perto só para tirar uma foto e postá-la nas redes sociais com o objetivo sem sentido de conseguir mil curtidas.

Ter um coração puro, sem segundas intenções ou motivações egoístas, atrai o que chamo de "graça" sobre você. Graça é o poder que faz que alguém goste de você ao vê-lo. Às vezes, gosta tanto que, mesmo sem ver seu "currículo", o leva para a roda de cima, para as mesas estratégicas.

Eu queria mais, queria sentar, ouvir e aprender. Queria ruminar suas reflexões pessoais e, quem sabe, escutar coisas que ele talvez ainda estivesse "gestando" em sua mente. Como já mencionei no Capítulo 1, obter informação exclusiva é algo inestimável para quem quer avançar na vida.

Eu simplesmente queria estar ali e ouvi-lo falar das coisas que valoriza, que o atraem, seus princípios, suas regras mentais pessoais e seus critérios de concessão de liberdade para as muitas pessoas que se aproximam dele.

As pessoas que se dão bem na vida, ou que "chegam lá", estão vacinadas contra aproveitadores, por isso criam barreiras, bloqueios naturais, para evitar que lhe roubem seu tempo.

O tempo é uma moeda, lembra-se? Pois bem. Só que aquele encontro foi agitado demais, havia muitas outras pessoas por perto disputando a atenção do protagonista.

Falamos em trocar telefones, mas não fizemos isso. Deixamos para "depois", "quando estivesse mais calmo", e... acabamos não fazendo o combinado.

Alguns dias depois, ele mesmo entrou em contato comigo. Daí a minha explosão de alegria no início deste capítulo. Logo em seguida, enviei uma mensagem de texto para ele. Cauteloso com as palavras, revisei o que queria dizer, reli a mensagem, calculei o que escrever.

Sempre pense nos detalhes. Reflita sobre o modo com que a pessoa irá receber e interpretar os sinais que você envia. Isso revela o seu comportamento pessoal, mostra a sua alma, como costumo dizer nas aulas do Clube de Inteligência de Desenvolvimento (CID).

Esta foi a minha mensagem de texto: "Olá! Sou Tiago Brunet. Estivemos juntos recentemente. Planejo não o incomodar. Estou escrevendo um artigo sobre os poderes que regem o mundo. Tenho apenas uma pergunta por enquanto: em sua opinião, qual é o maior poder do mundo?".

> **Quando eu era jovem, pensava que o dinheiro era a coisa mais importante do mundo. Hoje tenho certeza disso!**
> — Oscar Wilde

Fui direto ao ponto, tal como fiz com o banqueiro quando tive uma única oportunidade e das mais breves. Só que agora eu sabia que a minha mensagem de texto entraria na caixa de mensagens de seu programa junto a outras tantas: parceiros de negócios, colaboradores, familiares, enfim... uma grande concorrência.

Eu precisaria ser visto, mesmo não estando à sua frente. Sabe como se faz isso? Mirando bem, evitando tremer as mãos enquanto se apoia o rifle e dando o tiro na hora certa. A pergunta o acertou em cheio! E a resposta foi a seguinte: "*Hola, Tiago. ¿Como estás? Sin lugar a dudas, es el dinero!*". (Oi, Tiago. Como vai? Sem dúvidas, é o dinheiro!)

A primeira reação que tive foi de espanto. Ora, um dos homens mais influentes da América Latina respondeu com rapidez e muita objetividade a uma única mensagem minha. Levei meses para me aproximar, mas minutos para receber a resposta desejada. Essa abordagem me faz lembrar a história do banqueiro no Capítulo 1. Muito tempo para chegar perto e pouco tempo para conseguir a resposta.

Havia gastado em grande medida a moeda mais valiosa da terra para chegar até pessoas estratégicas, mas depois as respostas fluíram com naturalidade. Mas, lembre-se, elas só respondem àquilo que perguntamos.

Portanto, as perguntas são mais importantes do que as respostas. Afinal, não se pode ter a resposta certa fazendo a pergunta errada.

Depois, fiquei perplexo porque eu esperava uma resposta, digamos, mais "religiosa", já que esse latino influente é um homem de fé, uma liderança espiritual com resultados sem precedentes. Não era isso que eu deveria esperar?

E ele ainda escreveu mais. A convicção que aquele jovem senhor tinha de sua resposta era tanta que ele ainda endossou: "A Bíblia diz que tudo se paga com dinheiro!".

Confesso ter ficado um pouco confuso com a confiança que ele demonstrou em suas palavras, já que todos sabemos que pessoas religiosas priorizam a fé mais que tudo. Seria o dinheiro maior do que a fé? Isso me pareceu um grande conflito de ideias, um embate sem fim. Era, então, preciso refletir sobre aquelas afirmações.

Lembrei-me de, certa vez, quando jantava com um grande líder evangélico norte-americano. Com ele, aprendi algo que me ajudou a desfazer as dúvidas que surgiam sobre a relação entre fé e dinheiro. Esse pastor disse o seguinte: "A fé só vale para quem acredita; o dinheiro continua valendo de qualquer jeito, você acreditando ou não".

Essa provocação faz o cérebro tremer. Que bom!

Não me considero um homem inocente, nem ignorante. Tenho bem claro que o dinheiro controla o mundo. Eu tenho trânsito livre no mundo dos negócios e mantenho relações pessoais com pessoas muito ricas, alguns milionários. Pessoas que dirigem grandes empresas, que fazem grandes transações, que estão envolvidas no comércio exterior e movimentando cifras espantosas de dinheiro e capital.

Por outro lado, também sabemos que há um poder obscuro no mundo das transações ilícitas, que alguns chamam de estado paralelo. Lá, as coisas também são movidas de maneira bastante semelhante, mas à margem do que é correto, honesto e legal.

Assim como a informação e o dinheiro, qualquer poder deste mundo pode ser usado para o mal. O que define como você usará o que possui são as motivações do seu coração.

Eu contei no capítulo anterior que um dos meus passatempos preferidos é assistir a séries na Netflix. Os documentários sobre os cartéis internacionais de drogas e seriados sobre políticos corruptos que têm influência no Estado — inspirados na vida real — deixam evidente que o dinheiro é a blindagem que criminosos poderosos usam para manter suas posições no jogo e continuar praticando crimes.

> **Realmente o dinheiro não traz felicidade. Mas paga tudo o que ela gasta.**
> — Millôr Fernandes

Em outras palavras, atos ilícitos são cometidos para obter mais dinheiro, e esse dinheiro serve para pagar por proteção para que possam manter o círculo vicioso. É a perpetuação do poder pelo poder. No Brasil, vimos isso, por exemplo, nas revelações feitas pela Operação Lava-Jato, que prendeu diversos políticos famosos.

Qualquer poder que move o mundo poderá ser usado para salvar vidas ou matá-las de vez. O volante do canhão é o seu coração. Para onde ele está apontando? De uma coisa ninguém duvida: o dinheiro pode resolver muitos dos nossos problemas.

O dinheiro gera um conforto emocional inexplicável, porque pode dar segurança e eliminar parte das nossas preocupações. Com dinheiro, podemos comprar momentos impressionantes, inesquecíveis, seja numa viagem dos sonhos, seja num simples jantar com a pessoa que amamos, ou, ainda, impressionando amigos com uma festa badalada.

Na sua opinião: qual é a melhor coisa que o dinheiro pode comprar? Fiz esta mesma pergunta nas minhas redes sociais. Recebi literalmente milhares de respostas, das quais as mais repetidas e coerentes foram:

- Viagens
- Conhecimento
- Bons tratamentos médicos
- Casa própria para oferecer segurança emocional e abrigo à família

Talvez seja por isso que a maioria de nós gasta a moeda do tempo para obter um desses poderes: queremos impressionar alguém ou eliminar as nossas preocupações.

Se queremos impressionar alguém, é provável que tenhamos complexos de rejeição, inferioridade ou algum tipo de confusão sobre quem somos (identidade). Se queremos eliminar as nossas preocupações, é porque o poder da fé ainda não é real em nós e as demandas da vida se tornaram mais pesadas do que a confiança absoluta de que tudo dará certo.

Sempre que vou ao Japão, observo a correria interminável dos japoneses de um lado para o outro. Cruzar a Shibuya, a rua mais famosa de Tóquio, é certificar-se de que o japonês está sempre correndo.

Mas atrás do quê? Para onde estão indo? Eu entrevistei muitos deles e de todos obtive a mesma resposta: DINHEIRO! Ganhar dinheiro é uma forma de provocar aceitação — inclusive familiar, na cultura japonesa. Para eles, o dinheiro é o principal.

Em outro país asiático, a Índia, o dinheiro é como um de seus muitos deuses.

Lembro-me de que certa vez quis dar 50 dólares a um jovem que me ajudou por dois dias, guiando-me pela cidade de Calcutá. O homem que me convidou à cidade fez uma cara feia e disse: "NÃO!".

Depois me disse: "Não dê dinheiro a ele. Jamais faça isso". Muita gente pensaria se tratar de mesquinharia do patrão. Só que ele me explicou o motivo pelo qual não queria que eu desse a gorjeta ao garoto: "Se você, sendo um homem que está passando por aqui, entregar esse valor a ele, acabará tirando a minha autoridade, já que convivo todos os dias aqui e não posso cobrir esse valor. Eles servem a quem dá mais!".

Embora eu tenha ficado assustado com a informação, entendi seu ponto de vista. Afinal de contas, aquela não era a minha cultura e eu não queria ser o agente de desequilíbrio nas relações entre patrão e empregado.

Dos oito poderes que estamos falando neste livro, o dinheiro é o poder que não se pode amar. Se você puser seu coração nele, se passar a se afeiçoar ao dinheiro e estiver encantado por ele, tudo começará a se desfazer diante dos seus olhos.

Como não amar algo de que você precisa tanto? Esse é o poder que fez muito seres humanos dividirem a terra precipitadamente. O sábio Salomão disse: "Não empenhe o *poder da sabedoria* para obter o *poder do dinheiro*". Essa é a minha versão de Provérbios 23.4!

O ser humano em sua realização pessoal tem um aspecto EMOCIONAL; o dinheiro, por sua vez, é de natureza MATERIAL. Logo, não espere do dinheiro algo que ele não pode dar. Cada um dá daquilo que tem!

Somos seres sociais e relacionais; o dinheiro é de outra natureza e deve atender a outras finalidades que não a de nos satisfazer emocionalmente, como explico no livro *Dinheiro é emocional*. Ele não poderá, jamais, nos completar como pessoas.

> **Se um amigo pede dinheiro, pense nos dois. Prefere perder o amigo ou o dinheiro?**
> — Mark Twain

Mas há um dilema com o qual precisamos conviver. O dinheiro é um agente primordial para as transações, para os negócios e para a sobrevivência neste mundo. Portanto, durante o tempo em que estivermos aqui, temos de lidar com ele. Então, como lidar com esse poder será inevitável; prefiro tê-lo e dominá-lo a não tê-lo e depender dele.

A eternidade pode ser o nosso destino, mas a terra em que habitamos é o processo até chegar lá.

Não importa o tempo que cada um de nós irá passar no plano terreno, nesta vida. Precisamos viver e, de preferência, viver bem. A Bíblia ensina dois tipos de vida: a vida eterna, que, é claro, só pode ser vivida no céu; e a vida plena, que deve ser vivida na terra. Se você não vive uma dessas vidas, é porque está fora dos padrões bíblicos.

VIDA ETERNA — VIDA ABUNDANTE

Para viver bem, precisamos do dinheiro. O dinheiro neste mundo é um poder que rege quase tudo e todos. Há, porém, uma LIMITAÇÃO. "[...] o amor ao dinheiro é a raiz de *todos* os males" (1 Timóteo 6.10, grifo nosso). Essa instrução milenar indica que é possível alguém construir uma bela casa e passar a amar mais o serrote usado para serrar as madeiras da construção do que o próprio lar.

Já pensou no significado dessa metáfora? Tem gente que ama mais a ferramenta do que o propósito. Devemos usar o dinheiro para construir a vida que desejamos para nós, para a nossa família, para os nossos filhos e, se possível, deixar algo bom para os filhos dos nossos filhos.

Contudo, não é sábio construir algo para nós e a nossa família e nos apegarmos àquilo que serve apenas de ferramenta para alcançar os nossos objetivos. Embora muitas pessoas, em determinada altura da vida e da carreira, passem a confundir a ferramenta com o propósito, isso não faz o menor sentido!

Ter um lar é o propósito. O dinheiro é a ferramenta de construção. Refaço a pergunta: é inteligente amar mais a ferramenta do que o propósito final?

O dinheiro, na minha vida, nunca passou de uma ferramenta. Sendo assim, nunca concordei em amá-lo mais do que às pessoas que posso ter por perto ou dos projetos que posso realizar. Sempre quis dinheiro por perto para que fosse parte do processo, não dos relacionamentos. Cada um de nós vem de uma trajetória bastante particular e específica.

Chegamos hoje, aqui onde estamos, por caminhos variados. Tivemos infâncias diferentes, tivemos criações familiares diferentes, fomos educados por padrões e filtros mentais diferentes, nascemos e atravessamos camadas sociais diferentes, com maior ou menor conforto, com culturas diferentes. O somatório de cada uma dessas variantes serve para definir a ótica pela qual vemos a vida e consequentemente o dinheiro. A mescla de tudo isso define a forma de lidarmos com ele.

Alguns de nós vemos o dinheiro como solução para determinada situação ou como algo necessário para a paz emocional. Outros o veem como meio para ter segurança, além daqueles que o veem como deus.

No entanto, muitos de nós têm valorizado o dinheiro de maneira exagerada, imaginando ou dando a ele um crédito do qual não é merecedor. Isso tudo é bem confuso, porque o dinheiro é um poder e tanto!

Gosto de pensar na vida de José, o hebreu que governou o Egito, pois sabemos detalhes da sua infância, adolescência e idade adulta, e é possível ver as enormes oscilações pelas quais passou. Vemos de onde saiu, por onde andou e qual foi o final de sua história: um final bem feliz, diga-se de passagem.

José nasceu em uma família privilegiada do ponto de vista financeiro. A Bíblia diz que Jacó, seu pai, era rico, mas seu avô, Isaque, era riquíssimo. O dinheiro, portanto, não era um problema para José.

Desde a infância, ele se acostumou com o melhor. Assim, hoje podemos analisar essas informações e dizer que o padrão mental de José sobre o dinheiro era de excelência. Ele foi filho de um grande empreendedor, um pecuarista. José foi mentoreado por seu pai, o homem que transformou um pequeno rebanho em uma grande fortuna. Poucas pessoas hoje conseguem reproduzir o que Jacó fez em seu ramo.

Eu poderia traçar um paralelo com a minha própria história. No meu caso, quando tinha 26 anos de idade, já movimentava consideráveis quantias financeiras na empresa que havia fundado anos antes. Mas, mesmo podendo movimentar essa pequena fortuna, ainda assim os problemas eram constantes no meu dia a dia.

Acredito que o dinheiro é um poder que precisamos conquistar; no entanto, entendo exatamente o que ele pode e o que não pode fazer.

O dinheiro é poderosíssimo em um mundo materialista como o nosso. Mas tem suas limitações no planeta das emoções e no campo espiritual. Como somos corpo, alma e espírito, não adianta ter apenas saúde e conforto físico e não cuidar do restante.

Estou plenamente consciente de seu papel na minha vida, nos meus negócios e na nossa história. Valorizo o que o dinheiro pode fazer, mas sou um *expert em saber o*s limites que ele tem. Na Bíblia, quando Deus queria abençoar alguém, ele o respaldava financeiramente. As finanças sempre serão uma ferramenta que eu terei prazer em usar.

Sim, eu as usarei, mas não me deixarei dominar por isso. "Onde estiver o seu tesouro, ali estará o seu coração", disse Jesus. De novo o coração!

Nem todo o dinheiro do mundo será suficiente para comprar um dia a mais de vida para uma pessoa em estado terminal, mas com ele será possível pagar o melhor hospital, caso uma pessoa esteja doente e precise de cuidados especiais e de conforto na hora que a dor parece ser maior que tudo.

Com dinheiro, podemos pagar uma festa de casamento no estilo daquelas que saem nas capas de revistas envolvendo as pessoas da mais alta sociedade. Mas nada disso garantirá que o casamento continue de pé depois de um mês.

O dinheiro poderá ser usado para comprar o melhor colchão do mundo, com a última tecnologia disponível, mas não garantirá que o seu sono seja tranquilo, o sono merecido daqueles que podem repousar a cabeça no travesseiro e dormir em paz. Somente os relacionamentos (emocional, espiritual) poderão determinar o sucesso de um casal e depois de uma família.

Devemos concordar com o grande líder do início deste capítulo: o dinheiro é um dos oito maiores poderes que regem o mundo hoje. No entanto, verdadeiramente esses tais poderes são limitados. Com exceção do maior de todos!

Até mesmo a sabedoria, como veremos mais à frente. Apesar de ela ser um poder tão intenso, não evitou um triste fim para o grande e celebrado rei Salomão de Israel.

Contudo, voltando à vida de José e aos exemplos que podemos tirar dela, qual foi o papel e a importância do dinheiro na sua vida? Como disse, temos registro da vida de José durante sua infância, adolescência e juventude. Mas a resposta a essa pergunta surge quando ele chega perto dos 30 anos de idade, que é quando assume o governo e a regência do Egito.

Na época, o Egito era uma grande potência e exercia ampla influência no mundo antigo, além de manter relações militares e de vassalagem com os países vizinhos.

O dinheiro pode se tornar um deus quando damos a ele um valor maior que o de uma ferramenta.

Com o dinheiro que o Egito arrecadava com impostos, o império foi consolidado. Contudo, chegou um tempo em que uma seca seguida de fome assolou a região mediterrânea. Sob a administração sábia de José, com o dinheiro que ele conseguiu amealhar administrando a crise entre os povos vizinhos, foi possível juntar recursos para alimentar toda a região, não somente os egípcios, mas também os povos que viviam ao redor.

A pergunta não é se devemos ter dinheiro, e sim para que o queremos. Ele não pensou apenas em si mesmo, na própria família ou em seus patrícios: todos aqueles que mantiveram algum tipo de contato com a administração de José foram beneficiados. Ele usou o dinheiro como ferramenta para atingir os objetivos nobres em sua administração, e fez isso com excelência.

> O dinheiro adquirido por José no Egito foi a ferramenta de preservação da raça humana.

José não se tornou um *workaholic*, ou viciado em trabalho. Ele também cuidava dos seus e de sua família (leia 1Timóteo 5.8).

Em busca do dinheiro, muitos perderam o que realmente importava. Para José, o dinheiro nada mais era do que uma ferramenta útil e necessária para cumprir seu propósito de vida: ALIMENTAR UMA GERAÇÃO.

José entrou para a História quando o problema da seca seguido da fome estava batendo à porta do Egito e do mundo antigo, e o faraó, autoridade máxima por lá, não tinha a menor ideia do que fazer com o perigo iminente.

Além do plano para colocar comida na mesa das famílias de seu tempo, o "PROJETO ISRAEL" — de formação de uma nação — só foi possível porque José cumpriu o propósito de não deixar seus irmãos morrerem durante a crise de fome.

Afinal de contas, José foi a porta que se abriu para os antigos hebreus serem recebidos no antigo Egito. Aquele país funcionou como o que chamamos hoje de "incubadora". Israel foi gestado no Egito antes de ser formado como nação.

Em uma palestra que ministrei na cidade de São Paulo, comentei que o dinheiro é algo importante para mim. Sendo filho de pastor, neto de pastor, dizimista fiel e seguidor de Jesus Cristo, jamais consegui pagar as compras do mês apenas dando "a paz do Senhor" para a moça do caixa do supermercado. Sempre tive que, como qualquer um, desembolsar dinheiro para levar comida para casa.

A simpatia é importante, o carisma também, mas sem dinheiro... nada feito.

O início de uma vida financeira abastada se dá quando você reconhece que precisa do dinheiro. Não o esnobe; trate-o com o devido respeito. Mas não faça dele o alvo; ele é apenas um meio. Esse poder é necessário, mas muito perigoso. Ele tem confundido muita gente.

O DINHEIRO NÃO TAPA OS BURACOS DA ALMA

Comecei este capítulo falando dos aspectos no trato do dinheiro. Nós e ele estamos em situações distintas. Somos pessoas, temos natureza relacional, ao passo que o dinheiro é de natureza material.

É como o ferro e o barro, que, embora possam estar presentes em uma peça de artesanato ou em uma caríssima obra de arte, jamais poderão se unir.

Vimos também que o dinheiro é um dos oito poderes presentes no mundo desde muito tempo e continua sendo até hoje. Mas ele não é o maior poder. É verdade que, além de útil, é também necessário para a maioria das coisas que fazemos durante toda a nossa curta vida. Mesmo assim, há alguns feitos que o dinheiro não pode comprar, nem mesmo se você conseguir reunir todo o dinheiro disponível.

Se há uma coisa que o dinheiro não tem poder para fazer é tapar os buracos emocionais do ser humano ou curar as feridas do passado. Se José não fosse uma pessoa equilibrada do ponto de vista emocional, se ele não tivesse dado um novo significado às dores do passado e à traição sofrida por seus irmãos, tudo teria se perdido. Um surto de raiva ou acesso de vingança poderia ter abortado todo o propósito existente para a geração que ele liderou, principalmente para a nação de Israel, que nasceria dos descendentes de José e de seus irmãos.

Uma das deficiências que o poder do dinheiro tem é que ele não consegue mudar sentimentos; ao contrário, em algumas situações, ele os potencializa. Então, tenha cuidado com o seu coração, pois, para uma pessoa que quer ganhar e ter dinheiro, é importante saber que TUDO à sua volta (e em você) será ampliado e potencializado.

Quero dizer com isso que, seja lá o que estiver escondido no fundo do seu coração, isso será revelado de maneira expressiva e mais intensa quando você tomar posse do *poder do dinheiro*.

MODELO MENTAL DO DINHEIRO

Tudo aquilo que pensamos a respeito do dinheiro entrou na nossa constituição mental, isto é, veio a nós pelo padrão psicológico que nos foi ensinado desde a infância. É claro que muitas coisas foram agregadas durante as diferentes etapas da nossa vida. Mas a nossa criação, a maneira pela qual os nossos pais falavam sobre o "vil metal" e lidavam com o dinheiro, a nossa religião, a posição geográfica onde vivemos e a cultura na qual crescemos influenciaram diretamente o nosso modelo de tratar o dinheiro.

José cresceu vendo o pai prosperar ao fazer negócios com seus rebanhos e aprendeu a empreender, que é a única receita que a Bíblia ensina para ter prosperidade. Consequentemente, para o povo judeu, o dinheiro sempre foi prioritário.

Como falamos na Introdução deste livro, José foi vendido por seus irmãos a caravaneiros que o negociaram no

Egito, quando ele tinha 17 anos de idade. Já tinha maturidade suficiente para que os modelos mentais de sua família tivessem se formado e se consolidado.

José foi filho de um dos maiores empreendedores da Bíblia; na verdade, poucos homens foram tão longe quanto seu pai. Tudo o que as mãos de seu pai, Jacó, tocavam prosperava. Segundo a tradição judaica, Jacó chegou a lutar com um anjo e conseguiu resistir a ele, o que deixou o ser angelical impressionado. O mesmo Jacó trabalhou catorze anos inteiros porque definiu um objetivo claro: pagar o dote para se casar com a mulher amada. E ele conseguiu.

Aos 17 anos, José tinha uma visão de mundo bastante interessante para um rapaz de sua idade. Boa parte de sua juventude, ele esteve trabalhando na casa de Potifar, uma espécie de ministro da Segurança no Egito, e esteve certo tempo preso na cadeia mantida pelo rei.

Infelizmente, não foi possível fazer uma faculdade de administração no período em que esteve encarcerado. No entanto, quando assumiu o governo do Egito, logo depois, aos 30 anos de idade, José sabia exatamente como cuidar de cada detalhe da gestão dos negócios do faraó, tanto na crise quanto na prosperidade.

Nunca subestime o "modelo mental de dinheiro" que você tem. Algumas vezes, será necessário mudá-lo; outras vezes, precisará apenas potencializar o que já existe.

O dinheiro é um agente tão poderoso no nosso mundo que, ao contrário do que o senso comum imagina, o maior inimigo de Deus não é o Diabo, mas Mamom, o "deus das riquezas". Quem disse isso foi o próprio Filho de Deus!

O Diabo é o nosso adversário, não o de Deus. O Diabo não consegue fazer discípulos; já o dinheiro arrasta fanáticos atrás de si. Mas o que confunde é que, mesmo tendo tanto poder, o dinheiro não tem força para salvar milionários da depressão, para livrar países das guerras ou para evitar separações familiares. Mesmo com tanto poder agregado, o dinheiro nunca curou uma pessoa que tivesse câncer.

Apesar de ser muito rico, o que abriu as portas para José em terra estrangeira não foi seu passado financeiro nem suas condições de vida no Egito. Três grandes portas se abriram para que José se tornasse o maior líder de seu tempo:

— A casa de Potifar
— A gerência da prisão em que estava
— O palácio do faraó

Não foi o dinheiro ou qualquer outro poder que abriu essas portas, e sim o maior poder do mundo! Em Gênesis 39.4, lemos algo enigmático: "achou José graça aos olhos dele e o servia. Ele o pôs por mordomo de sua casa e entregou nas suas mãos tudo o que tinha" (*Almeida Edição Contemporânea*). A *Nova Versão Internacional* diz que "[o senhor] agradou-se de José".

Já em Genesis 39.21, lemos o seguinte: "o Senhor era com ele; estendeu sobre ele a sua benignidade e lhe concedeu graça aos olhos do carcereiro" (*Almeida Edição Contemporânea*), o que a *Nova Versão Internacional* chama de "concede[u]-lhe a simpatia do carcereiro".

O que isso quer dizer? Não foi somente essa ilustre personagem bíblica, José, que usou sabedoria e dinheiro para salvar milhões de vidas. Em uma época recente, na década de 1940 durante a Segunda Guerra Mundial, um homem chamado Oskar Schindler, empresário alemão que viveu na época do Holocausto judeu, usou seu capital para empregar em sua fábrica milhares de judeus com o fim de salvá-los da matança.

Esse ato foi uma mistura de poderes: amor, *networking*, mas principalmente dinheiro. Schindler talvez tivesse excelentes intenções, mas, se não fosse um empresário financeiramente bem-sucedido, não teria armas de salvação para aqueles judeus.

Esse piedoso alemão entrou para a História não por ser rico, mas por abrir mão de sua segurança e conforto financeiro para salvar pessoas.

O seu dinheiro só serve caso sirva a um propósito. Quando Oskar Schindler precisou fugir do exército vermelho que avançava para tomar a Alemanha nazista, ele deixou uma carta explicando que não era um "dos maus" e um anel com a seguinte frase do Talmude gravada: "Quem salva uma vida, salva o mundo inteiro".

Prossigamos na nossa jornada...

Conquistando o poder do dinheiro

Você tinha alguma resistência à teoria de que o dinheiro é um dos poderes que regem o mundo?

_____
_____
_____

Se você entende a importância de ter recursos financeiros enquanto vivemos esta vida terrena, o que fará a partir de hoje para conquistar este poder?

_____
_____
_____

Os livros que você lê e as pessoas com as quais convive são assertivos para a aquisição desse poder?

_____
_____
_____

O PODER DO DINHEIRO

Em sua opinião, o que esse poder não consegue ou não pode comprar?

_____

_____

_____

Você já se deu conta de que quem tem o poder do dinheiro consegue potencializar tudo aquilo que torna a vida extraordinária?

_____

_____

_____

Qual é a criptonita do dinheiro?

_____

_____

_____

3 | O poder dos relacionamentos — *networking*

Em um ano consegui, com relacionamentos certos, o que não consegui em trinta e sete anos sozinho.

O contrário de *networking* é *not working*.

— Um sábio

A primeira frase, escutei de um amigo chileno, que eu acabara de conhecer em um voo de Dubai para Tóquio. Era abril de 2017, e estávamos aproveitando as onze horas de voo para conversar sobre os poderes que regem o mundo.

Àquela altura da conversa, falávamos sobre a espantosa disciplina do povo japonês, sobre a notável excelência dos xeiques árabes e sobre as grandezas do Oriente. Todas essas virtudes são, para nós ocidentais, algo maravilhoso. Temos muito a aprender com as culturas desses povos.

Voltemos à frase do meu amigo chileno. Quando ele a concluiu, não pensei duas vezes e acrescentei uma pergunta:

— Como você conquistou o seu "lugar ao sol"?

Em uma palavra, sem rodeios nem divagações filosóficas, ele respondeu enfaticamente: — *Networking, mi amigo!*

Lembrei-me imediatamente de uma conhecida frase que é atribuída ao presidente da Coca-Cola: "Não cheguei aqui pelo currículo que eu tinha, mas pelos amigos que possuía".

Ambas as frases são análogas, equivalentes, e foram ditas por pessoas diferentes que ocupam posições estratégicas no mundo dos negócios. Sabemos que uma boa rede de relacionamentos vale mais que um currículo impecável.

Como sabemos disso? Porque a sabedoria milenar nos ensinou que ter amigos, e especialmente amigos de verdade, faz toda a diferença na estrada da vida. Certamente, essa é uma das coisas que nos ajudam a ter uma vida extraordinária.

Veja o caso de Sadraque, Mesaque e Abdenego. Talvez você nunca tenha ouvido falar da história deles, porque os três eram escravos judeus que foram deportados para a Babilônia no final dos anos 500 a.C. Isso faz muito tempo!

A Bíblia não conta detalhes da vida dos três, nem se eles tinham alguma formação acadêmica, uma vez que a antiga Babilônia era um centro de excelência em algumas artes, como o estudo dos astros e uma forma primordial de medicina, bastante rudimentar.

O que sabemos da vida daqueles três rapazes está relacionado a Daniel, futuro primeiro-ministro do país, que fazia parte da "rede de relacionamentos", ou *networking*, de Sadraque, Mesaque e Abdenego.

O primeiro-ministro assumiu o governo, ficando abaixo apenas de Nabucodonosor — você deve se lembrar desse nome quando estudou no ensino fundamental. Uma vez que Daniel se tornou o segundo homem na Babilônia, ele nomeou seus compatriotas para cuidar dos negócios no império.

Qual é a lição principal que aprendemos aqui? Que a sua *networking* pode inserir você em lugares que poder nenhum o faria!

Sua rede de relacionamentos vale mais do que muitos poderes deste mundo.

E quais são esses poderes? Há vários, e não estamos, com isso, desmerecendo nenhum deles, porque cada um terá uma finalidade: boa formação acadêmica, empreendedorismo, iniciativa própria, autodeterminação, patrimônio, boas ideias, criatividade e muitos outros bens pessoais.

A *networking* que você cria pode superar todos esses bens que você reúne ao longo de uma vida.

Podemos ir além.

Veja o caso de Jônatas e Davi. Jônatas era filho de um rei, Saul, o primeiro rei de Israel empossado assim que o povo deixou de ser um agrupamento de tribos e passou a ser uma monarquia.

Nessa época, Davi era o comandante de um exército marginal formado por forasteiros. Ele reunira em torno de si homens que não eram bem-vistos na região, mas treinou esses homens de modo que eles defendiam o gado dos mais ricos e cobravam algo em troca.

E o que fez Jônatas, filho do rei, associando-se a um líder marginal?

A conexão entre esses dois homens de classes tão distintas era tão forte que, quando Saul resolveu dar um fim na carreira de Davi, matando-o, Jônatas tomou as dores e entrou no circuito.

O que fez o filho do rei? Jônatas pessoalmente avisou Davi da trama do pai, passando por cima da ideia de que estivesse traindo seu pai e rei de Israel. A fidelidade que se consegue dentro de uma *networking* pode superar os laços mais tradicionais e íntimos, como aqueles que deveriam existir dentro da própria família!

É como aquele versículo que diz que há amigos que são mais chegados que os próprios irmãos. No caso de Jônatas e Davi, foi exatamente isso que aconteceu.

Conexões certas podem livrar você da morte.

Do mesmo modo, há conexões na sua *networking* que podem levar você ao topo, àquele lugar, posição ou cargo que sempre sonhou.

Você estudou, trabalhou, se esforçou, fez tudo certo, foi disciplinado, foi rigoroso consigo mesmo, economizou, fez intercâmbio, vestiu-se melhor, caprichou no vocabulário, fez tudo! Mas o que funcionou na hora que não esperava foi ter conhecido aquela pessoa estratégica, que em um minuto levou você para cima, alavancou a sua carreira, os seus negócios, a sua vida.

Entende?

Já teve a impressão de que as coisas positivas e mais relevantes não acontecem como os nossos caminhos mentais idealizam? Quem nunca pensou nisso? Planejamos futuro, temos ideias, nos esforçamos para conseguir créditos ou adquirir conhecimentos... — e tudo isso é necessário, todas essas coisas contam. Mas, quando menos esperamos, algo melhor se abre diante de nós: alguém que conhecemos nos indica, nos chama, aponta para nós, e lá vamos nós para a fase seguinte!

Por isso, quero dar uma dica sobre o laço inquebrável para mantermos viva e ativa a nossa *networking*:

> Não se relacione com alguém pelos resultados que ele alcança,
> mas pelo propósito pelo qual vive.

PROPÓSITO?

Sim, propósito. Procure identificar e valorizar o propósito que move as pessoas à sua volta. Não olhe apenas para os resultados, pois eles podem ser temporários. Não olhe para os bens ou o patrimônio de alguém. Essas coisas são a consequência, o efeito. Olhe para a causa, olhe para a fonte.

E a fonte dos resultados positivos é o propósito que move pessoas bem-sucedidas.

Desde os tempos mais remotos, as celebridades tiram a própria vida, ou sofrem sérios transtornos psíquicos, quando percebem que não encontraram o SENTIDO DA VIDA! Grandes nomes da História possuíram tudo, mas não foram nada, porque a realização interior não pode ser comparada às conquistas exteriores.

O segredo da nossa breve e momentânea existência na terra é SER, não necessariamente TER. Quem tem pode um dia não ter, e isso gera conflitos insolúveis. Quem é é.

"EU SOU O QUE SOU" — Deus já nos diz o que é importante.

Quem é você sem um propósito de vida?

Quem é você sem relacionamentos para compartilhar tudo isso?

O que adianta ter 1 trilhão de dólares, mas estar sozinho em uma ilha deserta?

Você pode passar trinta anos trabalhando para ter uma boa aposentadoria e ainda assim morrer infeliz. Você pode dedicar vinte anos de fidelidade a um casamento para, no final, descobrir que tudo não passava de uma farsa.

Nada é garantido, a não ser aquilo que você é! E essa deve ser a base da sua *networking*: pessoas que somem ao seu propósito e se apeguem a você pela essência da sua existência.

Posso dar muitos outros exemplos de que a maioria das coisas que todos perseguem a vida toda, como dinheiro e reconhecimento, não poderão dar sentido à vida.

No entanto, descobrir quem é você e viver por isso, sim: essa é uma atitude segura, sobre a qual você pode fazer planos e esperar bons resultados.

Responda sinceramente a essas três perguntas:

— O que você faria amanhã se hoje acessasse a sua conta corrente e notasse ter entrado um depósito de 10 milhões de dólares?

— Para onde você iria?

— Quem levaria com você?

Se a sua resposta for diferente daquilo que realmente planeja fazer amanhã, então saiba que você ainda não está vivendo o que é o seu propósito de vida. Ouça bem: nada nem ninguém poderá nos tirar do centro da nossa ICP (a ideia central permanente), nem mesmo o dinheiro, ainda que seja muito dinheiro.

A palavra **propósito** é sinônimo de **desígnio**, palavra que em latim, na sua raiz etimológica, significa *projeto, desenho*. A pergunta é: As pessoas que estão na sua agenda de telefone conhecem seu desígnio? Elas estão com você no empreendimento da vida?

Qual é o seu *projeto* imutável? Não falo de simples projetos, mas *do* projeto, aquele que qualifica e dimensiona a sua vida.

Quem da sua lista de WhatsApp compartilha o seu sonho?

Nenhum de nós pode ser medido pelo título que possui, mas pelo desígnio (o desenho e o projeto) que carregamos dentro de nós mesmos.

O seu propósito geralmente está ligado às cinco pessoas que você mais admira. Essas pessoas estão na sua *networking* ou você as admira de longe? Então faça o seguinte exercício: relacione as cinco pessoas que você mais escuta e mais admira:

_____

_____

_____

_____

Depois procure o ponto em comum entre essas cinco pessoas e você, e já estará bem direcionado quanto à descoberta do seu propósito. A síntese dos valores principais dessas pessoas indicará a direção que está tomando na sua vida.

Depois responda: O que mais o incomoda? O que mais o emociona? Será que há algum ponto em comum nessas listas? Estude-as.

Quem se conecta a você por esses valores?

Quando descobri o meu propósito de vida, ficou mais fácil selecionar a minha *networking*. Entendi que, para chegar aonde eu queria, era preciso frequentar os círculos sociais que potencializassem quem eu realmente era.

O dia só tem vinte e quatro horas, e vivemos, em média, setenta e cinco anos. Como eu disse na Introdução, a nossa moeda de maior valor é o *tempo*. Não posso perder um minuto sequer fora da ideia central permanente (ICP) da minha vida. Sendo assim, selecionei pessoas que tivessem algo a agregar ao meu projeto de vida e paguei o preço para andar ao lado delas.

Davi andou com Jônatas. Seu propósito era reinar. Sua conexão era com o filho do rei. Percebeu? Não devemos gastar a valiosa moeda do tempo com pessoas que não estão alinhadas com o nosso propósito.

Sei que a frase anteriormente citada é complexa, pois nem sempre escolhemos com quem iremos conviver. Mas, quando digo "gastar a valiosa moeda", é justamente o tempo do qual você é dono. Aquele tempo que você decide o que faz com ele. Existem pessoas que podem desfrutar de duas horas livres por dia e investem esse precioso tempo em companhias que destroem os bons costumes, que anulam sua verdadeira identidade, que limitam sua criatividade e seus sonhos.

O tempo que você governa deve ser investido com muita sabedoria e prudência. Invista-o com pessoas que somam ao seu futuro, que corrigem sua rota, que ampliam seu horizonte.

Isso não é egoísmo; ao contrário, se o dr. Martin Luther King Jr. andasse com qualquer um daqueles caras que odiavam uns aos outros, provavelmente os negros ainda estariam segregados nos Estados Unidos.

José montou sua *networking* enquanto estava na prisão, e um dia o copeiro-mor, que esteve preso com ele, lembrou de José e de sua habilidade para interpretar sonhos.

José não merecia estar na prisão, não fez nada para estar ali. Pelo contrário, fugiu de uma mulher que queria adulterar com ele e que, depois de ter sido rejeitada, tramou para que ele fosse preso. Na prisão, José fez amizade com a pessoa que o apresentaria ao faraó e manteve essa amizade, porque era alguém envolvido na corte do faraó. Ele poderia ter feito amizade com qualquer um naquela prisão, mas selecionou seus contatos.

Às vezes, encontramo-nos em lugares nos quais não merecíamos estar ou onde não queríamos estar, mas, em vez de reclamar, podemos fazer como José e ampliar a nossa *networking* em direção aos melhores resultados.

Nessas horas, agir com inteligência emocional é a melhor estratégia. Deixe de lado o rancor, a mágoa, e pense adiante, visualizando o futuro desejado.

> Plante de manhã a sua semente, e mesmo ao entardecer não deixe as suas mãos ficarem à toa, pois você não sabe o que acontecerá, se esta ou aquela produzirá, ou se as duas serão igualmente boas. (Eclesiastes 11.6)

> ***Networking* não é ter o contato de várias
> pessoas no seu WhatsApp,
> mas elas mencionarem o seu nome
> em lugares estratégicos.**

Você tem relacionamentos assim?

Pessoas que pensam em você quando estão diante de reis? Quem da sua rede de contatos está na "roda de cima" e deseja puxá-lo para lá?

No livro de Êxodo, lemos: "O Senhor disse a Moisés: 'Farei o que me pede, porque tenho me agradado de você e o conheço pelo nome' " (33.17).

Moisés tinha o próprio Deus em sua rede de relacionamentos. Que será que ele fez ou tinha para conseguir isso?

Não tenho dúvidas de que muitas coisas que conquistei na vida, muitos lugares de honra para os quais fui convidado, tiveram a influência direta da minha rede de relacionamentos. Sempre valorizei os meus contatos.

> **As pessoas mais admiráveis do mundo buscam e constroem redes. Todos os outros buscam trabalho.**
> — Robert Kiyosaki

Lembre-se de que isso vale para o mau também. Atraímos o tipo de pessoas que se identifica com a nossa essência, com o nosso propósito.

É sempre preciso passar um "pente fino" na nossa rede, pois grandes nomes nos julgam pelas pessoas às quais estamos conectados. Quero dizer, se na sua *networking* tem gente de caráter duvidoso, essa fama também se apega a você.

Em um dos jantares mais estratégicos que tive na minha vida, eu estava me sentindo um peixe fora d'agua. Era muito cacique para um índio como eu estar ali.

Vou revelar algo precioso para vocês: ainda que constrangido, perguntei ao anfitrião por que eu estava ali. Ele respondeu, sorrindo:

— Simplesmente gostei de você! Quando pensei em convidar você para este jantar, apenas chequei com quem você andava, a sua rede de contatos, e então tive certeza de que você deveria estar aqui.

Em 1Samuel 16.22, lemos: "Saul mandou dizer a Jessé: Deixa estar Davi perante mim, pois me caiu em graça" (*Almeida Revista e Atualizada*). Então pensei que eu havia "achado graça" aos olhos daquele anfitrião.

Provérbios 22.1 declara: "A boa reputação vale mais que grandes riquezas; desfrutar de boa estima vale mais que prata e ouro".

Em um voo de Madrid a Tel Aviv, que dura cerca de cinco horas, li o livro *Hit Refresh*, de Satya Nadella, CEO da Microsoft. O nome da obra em si me chamou a atenção pelo tema atualização, pois é algo que venho ensinando desde 2016.

No entanto, o que me cativou nas mais de 200 páginas foi quando Nadella revelou que, sendo indiano e imigrante nos Estados Unidos, percebeu que duas coisas definiram seu sucesso:

> 1. A geografia em que estava
> 2. A *networking* que havia criado

Uma das frases marcantes do livro (e já vi o ex-presidente americano Barack Obama mencionar a mesma coisa) foi: "A minha história não seria possível em nenhum outro lugar do mundo". Em outras palavras, não adiantaria esse gênio indiano da informática saber tudo sobre os códigos da computação se estivesse ainda em sua cidade de origem. Foi na América (geografia correta para o projeto correto, nesse caso) que ele foi valorizado e foi lá que montou uma *networking* relevante.

Se quiser ir rápido, vá sozinho. Se quiser ir longe, vá acompanhado.
— Provérbio africano

Vamos seguindo. Nossa jornada ainda está no início...

Conquistando o poder dos relacionamentos

Você tinha ideia de que uma rede de relacionamentos é um poder?

_____
_____
_____

Quanto você tem investido em sua *networking* profissional e pessoal?

_____
_____
_____
_____

Você se considera um bom amigo?

_____
_____
_____
_____

Liste as cinco pessoas mais estratégicas em sua rede de relacionamentos.

_____
_____
_____
_____

Você acredita que, se uma dessas pessoas tivesse a oportunidade de indicar alguém para algo extraordinário, ela indicaria você? Por quê?

_____
_____
_____
_____

Em sua opinião qual é a criptonita da rede de relacionamentos?

_____
_____
_____
_____

4 | O poder da sabedoria

A sabedoria é a coisa principal.
— Paráfrase de Provérbios 4.7

Tudo aquilo que envolve uma tradição ou uma cultura milenar deveria oferecer uma resposta certeira a determinadas questões da vida.

Por quê? Porque numa tradição as questões difíceis, complexas, delicadas já foram pensadas e repensadas exaustivamente por diferentes "mentalidades", em diferentes situações.

Para que algo se tornasse uma "tradição", foram investidos anos de filosofia e debates. Por isso, devemos atentar para certas tradições; elas carregam a sabedoria popular, acumulada por séculos de experimentação.

É chocante o que a tradição judaica dá como resposta para a pergunta "O que é a coisa principal?" na nossa breve existência neste mundo.

Como o livro mais antigo e emblemático do mundo pode afirmar que a SABEDORIA é a coisa principal em relação às demais coisas? Na verdade, o texto diz que, sem sabedoria, você não viverá muito ou viverá mal.

O livro de Provérbios reúne o pensamento de alguns homens especiais do passado, incluindo reis. Esse provérbio que anotei, por exemplo, foi escrito por Salomão.

Na continuação do texto, que na verdade é uma "sessão de mentoria", o rei Davi instrui seu filho Salomão a vender tudo o que possuía e investir na aquisição da sabedoria.

O tema é complexo, pois a própria Bíblia fala a respeito de diversos outros poderes magníficos que podem fazer diferença na vida de uma pessoa, como a fé, o amor e a esperança. Aliás, a nossa geração parece ter maior simpatia por essas coisas do que por sabedoria.

Não estamos muito habituados a receber um tipo de conselho assim. Talvez se falássemos em *inteligência* — tanto emocional quanto espiritual —, cairia melhor aos nossos ouvidos. Mas sabedoria, convenhamos, não soa muito atual. Às vezes, parece coisa de "velho".

Acredito que sempre estive na contramão, pois pedi sabedoria a Deus quando era jovem e ganhei de brinde inteligência emocional no decorrer dos anos.

Tive um grande líder mexicano como incentivador da minha carreira como escritor para os leitores da América Latina, que ocupava um lugar de destaque na lista de pessoas especiais e influentes que conheciam os poderes que governam esta região e os que aqui vivem.

Lembrei-me dele e de sua experiência e seus resultados e mandei-lhe um áudio, porque queria saber também a sua opinião para a minha pesquisa sobre o maior poder do mundo.

De certo, ele teria uma boa e provocante pista, pois, além de ser um homem maduro e de ter vivenciado muitas coisas, é mentor de uma grande rede que reúne pastores e líderes nas Américas.

Assim que o áudio enviado foi ouvido, eu o cumprimentei e já disparei a pergunta: "No seu modo de ver, qual é o maior poder do mundo?".

Novamente a primeira impressão foi a mesma de outros amigos para quem a pergunta foi feita. Ele riu, mas dessa vez riu bem alto, seguido de um sussurro: "Esses jovens...".

Em vez de dar uma resposta na mesma velocidade com que riu, o meu entrevistado rebateu com uma história:

> Quando meu avô estava para morrer, eu me aproximei de seu leito e perguntei:
> — Vô, o senhor gostaria de voltar a ser jovem e viver tudo de novo?
> O velhinho sorriu e disse:
> — Somente se eu puder levar comigo a sabedoria que tenho hoje!

Despedimo-nos logo em seguida, porque eu já tinha entendido que a *sabedoria*, em sua opinião, era a resposta para a minha pergunta.

Particularmente, devo confessar que este é o poder que sempre me chamou a atenção. Mais do que dinheiro ou qualquer outra coisa, *ser sábio* sempre foi um objetivo de vida para mim.

Lembro-me bem de quando eu era adolescente e orava assim: "Senhor, dá-me a sabedoria de um homem de 60 anos, ainda que eu nem tenha chegado aos 20".

Cresci vendo meu avô paterno, que morava praticamente em frente a nossa casa, lendo livros e escrevendo em sua velha máquina de escrever. Como pastor batista e oficial militar, Misael Lustosa Brunet era uma figura de autoridade e sabedoria para todos os filhos e netos. Sempre que tínhamos dúvidas ou precisávamos tomar decisões, íamos até ele.

Foi a partir dessa fase da vida que comecei a ver que a sabedoria é o corredor que nos leva à maturidade. Ela faz toda a diferença para o ser humano, além de ser uma das portas para uma vida extraordinária. Eu ainda era criança, mas já entendia pelo que via no meu avô que precisava ler e escrever para obter sabedoria. Pelo menos, esse era o entendimento que eu tinha, na época com 8 anos de idade.

> **O que sabemos é uma gota; o que ignoramos é um oceano.**
> — Isaac Newton

A maturidade não tem a ver com idade, mas, sim, com responsabilidades assumidas e "batatas quentes". Infelizmente, isso eu não aprendi estudando, mas apanhando da vida.

Quanto mais sabedoria uma pessoa busca, mais madura ela fica.

Salomão, o mesmo que escreveu a maioria dos textos do livro de Provérbios, também foi autor de outro livro, Eclesiastes, onde podemos ler o seguinte: "A sabedoria oferece proteção, como o faz o dinheiro, mas a vantagem do conhecimento é esta: a sabedoria preserva a vida de quem a possui" (Eclesiastes 7.12).

Além de trazer maturidade, a sabedoria dá vida a quem a possui. Quando, por acaso, você viu um sábio discutindo em um bar e levando um tiro do agressor? Os sábios não só escolhem bem por onde andam, como também são donos de suas reações.

PARA QUE SERVE ESSE PODER?

Imagine que você tem sabedoria, está à frente de um grande empreendimento e, por uma fatalidade, as coisas não dão certo e o negócio sofre uma falência ou algo assim. Muitas pessoas, apegadas aos aspectos materiais da vida, se desesperariam, entrariam em depressão, e outras poderiam se ver diante de uma tentativa de suicídio.

Mas o sábio, aquele que guarda seu tesouro no coração, não no banco, encara os fatos, reflete sobre suas falhas, vislumbra um futuro desejado e recomeça.

A resiliência é um dos atributos da sabedoria. Mas ela não cai do céu (cf. Jó 28.12). É preciso ir em busca dela.

As dores da vida, as perdas da caminhada, as profundas frustrações, a decepção com as pessoas, a quebra financeira e outros fatores somados me ajudaram a alcançar esse poder. Adquiri sabedoria com o tempo que investi em leitura, oração, cursos e convívio com alguns sábios durante as crises da minha caminhada existencial.

A crise por si só não dá sabedoria, mas provoca a oportunidade para você entender que precisa dela desesperadamente.

Quando percebi que, se tivesse sabedoria não teria passado por tantos dias maus, decidi pô-la como prioridade nessa busca por algo maior. Em Tiago 1.5, a Bíblia diz: "Se algum de vocês tem falta de sabedoria, peça-a a Deus, que a todos dá livremente".

Isso não quer dizer que, quando você pedir isso a ele, a sabedoria irá entrar instantaneamente em você. Na verdade, Deus provocará situações para que você adquira esse poder. Em meu caso, uma grande quebra financeira.

Quantas oportunidades você já teve para adquirir sabedoria, mas preferiu encará-las somente como um problema da vida?

Você se lembra da última coisa que aprendeu depois de enfrentar uma situação difícil? Se a resposta é afirmativa, você está em evolução. Você está crescendo em sabedoria.

Quem tem dinheiro, mas não tem sabedoria, perde dinheiro. Por outro lado, quem tem sabedoria, em geral é perseguido pelo dinheiro. Percebe a diferença entre possuir dinheiro e possuir sabedoria?

O texto de Provérbios 8.17 diz que a sabedoria ama os que a amam! E eu a amo!

Muitos líderes e governantes que entrevistei indicaram a sabedoria como o maior poder do mundo. Tais entrevistados estão à frente de um número expressivo de líderes, que por sua vez governam sobre muitas pessoas em suas igrejas, comunidades ou cidade.

Homens como o Dalai Lama são reconhecidos mundialmente não pela fé que professam, mas pela sabedoria que transmitem.

> O silêncio é ouro.
> E muitas vezes também
> é a resposta.
> — Autor desconhecido

Muitos conquistaram coisas grandiosas pela fé, mas não conseguiram manter muitas delas sem sabedoria.

O poder da fé o faz conquistar o impossível, mas a sabedoria o ajuda a administrar tudo isso. Lidar com pessoas requer mais do que carisma, simpatia, boa aparência, fala eloquente, persuasão, boa maquiagem e iluminação calibrada.

Grandes líderes que ensinaram sobre a vida foram direto ao assunto: a sabedoria é o que realmente vale a pena ter. Embora não seja algo fácil de adquirir, porque, diferentemente da inteligência, a sabedoria é produto do tempo e da experiência, da leitura, da superação de problemas e da convivência com quem já alcançou esse tesouro inestimável.

A inteligência ocorre por questões biológicas. A psicologia e a biologia já demonstram isso. A pessoa pode nascer com predisposição genética para ser inteligente em algum sentido, apesar de que todo *Homo sapiens* é inteligente por definição.

Ainda assim, pode-se adquirir inteligência específica e técnica estudando, qualificando-se, preparando-se ao lado dos melhores, dos líderes certos, como dissemos no Capítulo 2, sobre dinheiro.

A sabedoria, no entanto, tem outra natureza. Ela demanda tempo, cultivo, paciência, sensibilidade, muita observação, reflexão e paixão pelo conhecimento. Por isso, é preciosa e para poucos.

Podemos dizer que a sabedoria é como a pérola. Já viu uma pérola sendo formada?

Ninguém jamais viu, porque as pérolas se formam no fundo do mar, dentro de ostras, mas não de qualquer ostra. Elas começam com um grão de areia e com o tempo se tornam uma bela e valiosa joia.

O PODER DA SABEDORIA DESTRAVA A HUMILDADE

Já viu um sábio orgulhoso?

> **Só sei que nada sei.**
> — Sócrates

A humildade é o lugar mais alto ao qual a sabedoria poderá levar você. Tiago 4.6 diz: "Deus se opõe aos orgulhosos, mas concede graça aos humildes". E Pedro: "Da mesma forma, jovens, sujeitem-se aos mais velhos. Sejam todos humildes uns para com os outros, porque '*Deus se opõe aos orgulhosos, mas concede graça aos humildes'* " (1Pedro 5.5, grifo nosso).

Em outras palavras, quanto mais sabedoria, mais humildade. Quanto mais humildade, mais graça diante de Deus e dos homens.

A sabedoria e a graça têm algo em comum: todos querem estar perto dos que as têm. Trata-se de um poder irresistível de atração.

Beba mais dessa fonte: "Instrua o homem sábio, e ele será ainda mais sábio; ensine o homem justo, e ele aumentará o seu saber" (Provérbios 9.9).

Diferentemente dos mandamentos, que são eternos e coletivos, a instrução é temporal e pessoal.

"Não roubarás", por exemplo, é um dos Dez Mandamentos. Trata-se de uma instrução milenar e coletiva, válida até hoje para todos. Já a instrução: "Abraão, sai de onde você vive, do seu povo, e vai para a terra que eu lhe mostrarei" foi válida apenas para Abraão e naquele tempo.

Valorize também a instrução que você receber, pois é ela que dá os nutrientes para as células da sabedoria que deve adquirir.

Não são apenas coisas ruins, como certas doenças, que são contagiosas. A sabedoria é contagiante, conforme Provérbios 13.20: "Aquele que anda com os sábios será cada vez mais sábio".

Na verdade, o amor, a esperança, a fé e a própria sabedoria podem ser aprendidos com a exposição frequente a esses poderes. Se você convive com alguém que tem respostas assertivas, que pensa antes de falar, que tem maturidade para lidar com desafios e humildade para servir a todos, quando se der conta, desejará ser igualzinho a ela.

Além disso, o sábio prospera (Provérbios 21.20): "Na casa do sábio há comida e azeite armazenados, mas o tolo devora tudo o que pode".

Eu já soube de sábios que, por livre e espontânea vontade, quiseram abrir mão do que possuíam para viver em locais reclusos com o fim de crescer espiritualmente, evoluir como seres humanos, mas nunca soube de um sábio querer prosperar financeiramente e não conseguir.

A própria sabedoria diz em Provérbios 8 que a riqueza e a honra fazem parte de seu círculo. Logo, quem tem sabedoria não terá falta de recursos e de honra. "Pois todo aquele que me encontra, encontra a vida e recebe o favor do SENHOR" (Provérbios 8.35).

Favor é sinônimo de graça. Lembra-se da história de Ester?

Ela teve favor diante do rei e se tornou a rainha. Não acredito que ela fosse a melhor concubina à disposição, mas tinha graça. A sabedoria sempre nos presenteia com algo chamado favor. E isso, em geral, já é suficiente.

> **Se não quiser que ninguém saiba, então não o faça.**
> — Provérbio chinês

E tem mais: "A sabedoria torna o sábio mais poderoso que uma cidade guardada por dez valentes" (Eclesiastes 7.19). Em outras palavras, é um equilíbrio para a força. Muitos guerreiros podem tentar tomar uma cidade durante meses. Mas um sábio faria o mesmo em apenas um dia.

Eclesiastes 9.16 arremata: "Por isso pensei: [...] a sabedoria [é] melhor do que a força".

TODO PODER TEM LIMITE

Salomão, mesmo sendo o homem mais sábio que o mundo conheceu, morreu de forma pouco memorável ou digna de ser recordada. Na verdade, foi ainda pior: o reino de Israel se dividiu em dois após a sua morte, e tudo por causa de suas más escolhas e decisões, porque, mesmo sendo sábio, deixou-se levar pelas circunstâncias e ouviu os conselhos errados, motivo de sua ruína.

A sabedoria tem limite? Ela não é suficiente? Leia o que escreveu um médico de criação grega, nos tempos de Jesus: "O menino [Jesus] crescia e se fortalecia, enchendo-se de sabedoria; e a graça de Deus estava sobre ele" (Lucas 2.40).

No mesmo livro, Lucas escreveu também: "Jesus ia crescendo em *sabedoria*, estatura e *graça* diante de Deus e dos homens" (Lucas 2.52, grifo nosso).

Isso nos diz alguma coisa? Sim.

Os poderes deste mundo que não estiverem atrelados ao maior de todos nunca serão suficientes. Conquiste os poderes disponíveis neste mundo e una-os ao maior poder do mundo.

Conquistando o poder da sabedoria

Você ja reparou que pessoas sábias vivem vidas extraordinárias?

_____
_____
_____
_____

Como você tem buscado sabedoria para sua vida?

_____
_____
_____
_____

Em sua opinião, a sabedoria seria um dos três principais poderes a serem conquistados na terra?

_____
_____
_____
_____

Qual é a criptonita da sabedoria? O que pode debilitá-la? Seria a ignorância? O que você pensa sobre isso?

_____
_____
_____
_____

Você sabe onde a sabedoria se esconde, sabe onde procurá-la?

_____
_____
_____
_____

Cite duas coisas que mudariam em sua vida hoje se você tivesse o poder da sabedoria?

_____
_____
_____
_____

5 | O poder de um sonho

Eu tenho um sonho.

— Martin Luther King Jr.

Nem todas as pessoas são sonhadoras. A humanidade é uma imensa e interminável colcha de bons retalhos, formada por uma variedade inimaginável de pessoas, cada uma com as expectativas mais inusitadas. Eu e você nem sequer podemos imaginar.

A mente humana é limitada, mas, se há algo que rompe as fronteiras do pensamento, é o sonho.

Neste universo incrível de seres humanos únicos e diferenciados, há pessoas que se adaptam ao sonho ou ao projeto de outra pessoa (ou de outras pessoas) e, no final das contas, realmente se realizam com isso.

Não há nada de errado em contribuir para que o sonho de alguém se realize. Principalmente quando esse sonho gera resultados coletivos. Bem, se você e eu nos distanciarmos e olharmos criticamente esse imenso projeto chamado humanidade, notaremos que é preciso que uns tenham sonhos que gerem em outros a vontade de ser engenheiros e construtores dos sonhos de alguém, porque esse será o sonho dessas pessoas, ou parte dele.

Se cada um de nós tivesse um sonho diferente, como faríamos para reunir recursos e capital humano na estruturação desse sonho ou projeto?

Eu preciso de alguém para cuidar da minha imagem nas redes sociais, de outra pessoa para trabalhar na produção e edição dos meus vídeos, de outra pessoa para revisar os meus textos, de outra para gerenciar e organizar os nossos congressos, e ainda outras para auxiliarem essas pessoas. E isso sem contar os líderes nos quais eu me inspiro, os quais, através de mentoria, extraem de mim o meu melhor.

Se as pessoas mencionadas estivessem correndo atrás de outros sonhos, quem faria isso tudo? É bem verdade que os sonhos de outras pessoas se encaixam no seu projeto e no meu. Ou seja, todos nos encaixamos em sonhos de outros.

> **O futuro pertence àqueles que creem na beleza de seus sonhos.**
> — Eleanor Roosevelt

Percebe que, visto dessa perspectiva, o mundo é uma imensa engrenagem na qual cada pessoa é especial e indispensável na posição que ocupa? Se você não tem um sonho, ser parte do sonho de alguém pode ajudar.

Bem, isso não é novidade. Os gregos, pioneiros do pensamento, já disseram isso quatrocentos anos antes de Cristo. Aristóteles dizia que cada pessoa precisa saber sua função na república e, ao cumpri-la bem, seria feliz e contribuiria para o bem comum.

Ou seja, nem todos precisam ser, por exemplo, Martin Luther King Jr. Alguns serão a "equipe" que fará a história acontecer. E essa função também é digna de reconhecimento. Até porque sem uma equipe o sonho torna-se pouco provável.

Paulo, o apóstolo, escreveu aos coríntios, um povo da Grécia, dizendo que a comunidade da fé era como um corpo e, no corpo, todos os membros, até os que parecem menos úteis, são necessários para o perfeito funcionamento das demais partes.

Tente correr sem se apoiar no dedão do pé! Muito difícil.

Está claro que cada um deve cumprir seu sonho e buscar fazê-lo, mas os sonhos de cada um se encaixam e se complementam com os dos outros. Não é possível realizar nada se não houver pontos em comum e serviço mútuo.

No caso do faraó do Egito, por exemplo, sem que ele soubesse, estava tornando realidade o sonho de José. Tem gente que é bem mais poderosa do que você, mas será usada para dar suporte ao seu sonho.

O patrocinador de um atleta de alta *performance* não é a estrela principal das Olimpíadas e, ainda assim, sem ele, como seria difícil tornar realidade o sonho de um grande atleta. Cada um nasceu para servir à humanidade dentro de seu propósito. Com isso, a felicidade e a satisfação se encontram pelo caminho e cumprem propósitos em comum.

Ninguém se destaca nem se torna grande sozinho nem por conta própria. Sempre precisamos uns dos outros. Até mesmo aqueles que pouco aparecem, muitas vezes, são os maiores responsáveis pelo sucesso dos que ocupam a posição de protagonista.

Como você tem notado e ainda verá nas páginas deste livro, existem poderes distintos que regem o mundo, que o organizam, que agregam pessoas e esforços em torno de si. É fato que as pessoas pagam o que podem para obtê-los; esforçam-se; lutam (muitas vezes ilegitimamente) para possuí-los.

Muita gente mata e morre por DINHEIRO. Há quem trapaceie para obter uma INFORMAÇÃO privilegiada. Outros, por sua vez, alcançam coisas extraordinárias pela FÉ, enquanto alguns sobem a altas posições na sociedade em razão da *NETWORKING* que fizeram ao longo do tempo. Mas não nos esqueçamos de que também existem os "resilientes extraordinários".

E quem são eles?

Não se trata apenas dos que não desistem ou que resistem a mudanças drásticas. Tais pessoas consistem em uma classe, a dos sonhadores que tornam seus sonhos uma realidade. São pessoas que sonham com algo que as cativa, que as provoca e encoraja e que, em seguida, passam a viver para agir e realizar seu sonho.

Os sonhadores são pessoas comuns, como você e eu, mas que têm uma ideia fixa e especial: um sonho.

É o sonho que faz gente comum traçar uma trajetória diferente e histórica. O sonhador terá pensamentos diferentes, incomuns, fora da curva e que não se encaixam em um molde, porque ele não está na estrada da maioria: ele caminha rumo à realização de seu sonho e, para isso, não pode seguir os passos da maioria.

O sonhador deve ir atrás das pessoas-chave que o auxiliarão a chegar lá! Um sonho sem o poder de uma rede de contatos tem poucas chances de sobrevivência.

Eu viajo do Oriente ao Ocidente, por países dos hemisférios norte e sul, e não há um só lugar ao qual eu tenha ido que as pessoas não conheçam o brasileiro Edson Arantes do Nascimento, Pelé, o rei do futebol, que, diga-se de passagem, nasceu pobre e negro num país considerado na época como de Terceiro Mundo e subdesenvolvido.

Sonhar é despertar interiormente.
— Mário Quintana

Uma pessoa assim teria condições sozinha de se tornar mundialmente reconhecida e premiada? Não. E como conseguiu? Pelé teve um sonho e o perseguiu.

No filme a que assisti sobre sua vida, contado por ele e também por seus amigos atletas, quando terminava o treino do time, Pelé não seguia seus companheiros, que iam para a ducha e depois descansar. Quando todos paravam, ele continuava, mesmo sozinho. Treinava os fundamentos do futebol, especialmente aqueles nos quais ele não era tão bom, como o cabeceio e as cobranças de falta.

Pelé se destacou de tal modo que se tornou o maior de seu tempo, o Atleta do Século XX. Até hoje é reconhecido como um esportista completo, que domina os fundamentos de sua arte, sendo bom cabeceador, bom em chutes a distância, bom com a perna esquerda, bom em cobranças de falta e, acima de tudo, um artilheiro destacado. Mas algo curioso eu ainda não falei.

Perto do final do filme, há um momento em que os amigos de Pelé confidenciaram uma particularidade do atleta. Quando eles dormiam na concentração, antes de seus jogos, era frequente acordarem no meio da noite com o Pelé gritando: "É gol! É gol! É gol!".

Pelé passava tanto tempo da vida sonhando acordado, e a sua concentração em alcançar objetivos específicos era tão intensa, que isso lhe dominava a alma a ponto de invadir seus sonhos à noite!

Até hoje, quarenta anos depois do encerramento de sua carreira, em 1977, nos Estados Unidos, Pelé é um dos atletas mais vitoriosos de toda a História. Para superar sua marca de 1.281 gols em 1.363 partidas, enquanto escrevo este livro, é preciso juntar os números de Neymar (300 gols), Messi (571 gols) e Cristiano Ronaldo (615 gols).

Outra história que me faz pensar sobre o poder de um sonho é conhecida entre os brasileiros e também virou filme: a dos cantores Zezé di Camargo e Luciano, uma bem-sucedida dupla de música sertaneja. No cinema, sua narrativa de vida foi chamada *Dois filhos de Francisco*.

Sabe por que o filme leva esse nome? Porque o sonho não era dessa dupla, mas de seu pai, o senhor Francisco. Esse senhor gastava seu salário de operário em fichas de telefone e pedia que todos os colegas de trabalho ligassem para a rádio local e solicitassem que fosse tocada a música dos filhos.

Confesso que chorei vendo essa parte do filme.

Como alguém pode sonhar por outra pessoa? Os sonhadores não encaram os problemas da vida como uma pessoa qualquer. Um sonho pode anestesiar você de tal forma que as dores e as contrariedades da vida não vão parecer tão fortes quanto elas se mostrariam caso você não sonhasse.

Pergunte ao senhor Francisco se os tempos difíceis o machucaram tanto assim. Certamente ele estava anestesiado. Quem está à volta, em geral, sofre mais do que o sonhador.

O sonho é o maior anestésico contra as dores da vida.

Na galeria dos maiores sonhadores de todos os tempos, está um jovem negro, pastor cristão por formação e ativista social por paixão. Mundialmente conhecido e Prêmio Nobel da Paz de 1964. Falo de Martin Luther King Jr., homem que foi e continua sendo uma inspiração para muitas pessoas.

Luther King nasceu em Atlanta, em 15 de janeiro de 1929. Formou-se no Morehouse College na mesma cidade e obteve o diploma do Seminário Teológico Crozer, na Pensilvânia. Depois estudou nas universidades de Harvard e Pensilvânia, e obteve o doutorado em filosofia. Além desses títulos, ainda acumulou mais de vinte diplomas honorários, concedidos por universidades norte-americanas e estrangeiras.

Isso bastaria para colocá-lo num patamar privilegiado, no mesmo nível de pouquíssimas pessoas no mundo, especialmente no tempo em que viveu. Mas ele não se destacou por seus diplomas. Luther King foi um pastor batista dos Estados Unidos em um período difícil daquela sociedade.

Os negros sofriam forte segregação, eram discriminados na sociedade; perseguidos por grupos, pela polícia, na vizinhança; não tinham oportunidade de bons empregos, e sua liberdade era bastante limitada em todos os espaços públicos possíveis. Além da leitura da Bíblia, King foi inspirado pela luta de Mahatma Gandhi, na Índia, que fazia resistência civil sem o uso da violência.

Luther King ensinou e orientou os negros de seu bairro a nunca reagir quando os brancos, civis ou policiais, o afrontavam, provocavam e mesmo quando o agrediam. Sua disciplina deveria ser seguida, dizia ele, se quisessem alcançar um objetivo concreto e duradouro. Em um de seus livros, ele escreveu: "A década de 1955 a 1965, com seus elementos construtivos, iludiu-nos. Todo mundo subestimou a quantidade de violência e de ira que os negros estavam recebendo e a quantidade de racismo que a maioria branca estava disfarçando".[1]

Ele estava convencido de que os brancos que os oprimiam não eram os verdadeiros inimigos. Sobre isso, ele também escreveu:

> "Para desenvolver uma consciência negra, não é preciso desprezar a raça branca como um todo. Não é a raça que combatemos, e sim as políticas e a ideologia que os líderes dessa raça formulam, a fim de perpetuar a opressão".[2]

Para ele, sua causa não era meramente uma luta por liberdade, mas baseava-se em convicções comuns a todos e tinha um sentido de direção muito esclarecido: "Na ausência de um propósito moral, o homem se torna pequeno à medida que suas obras crescem".[3] Em razão da causa que defendeu, à frente de milhões de negros nos Estados Unidos, King foi preso várias vezes, humilhado em público, sua casa foi apedrejada, seus filhos foram ameaçados e membros da Ku Klux Klan, do sul do país, dispararam seu ódio contra ele diversas vezes.

Mas ele nunca parou ou desistiu. Ao contrário, dizia: "Igualaremos a vossa capacidade de infligir sofrimento com

---

[1] KING JR., Martin Luther. **O grito da consciência**. São Paulo: Expressão e Cultura, 1968. p. 21.
[2] Ibidem, p. 24.
[3] Ibidem, p. 73.

*Esperança é o sonho
do homem acordado.*
— Aristóteles

a nossa capacidade de suportá-lo. Enfrentaremos a vossa força física com a nossa força moral".[4]

Quem tem um sonho e o persegue, fica anestesiado diante das dores da vida. Apanha, apanha e apanha, mas levanta, sacode a poeira e volta a fazer o que está em seu coração.

Foi como aconteceu com o apóstolo Paulo, quando estava na cidade de Listra. Ele foi apedrejado e arrastado para fora da cidade, dado como morto (Atos 14.19,20). Seus discípulos o cercaram e perceberam que ele ainda estava vivo. De repente, Paulo levanta, sacode a poeira e entra na cidade novamente para continuar sua missão, para realizar seu sonho.

Dr. King organizou marchas em diversas cidades para demonstrar a unidade do povo negro, sem nunca demonstrar ira, revanchismo ou pretensão de medir forças com ninguém. Na emblemática Marcha de Chicago, os elementos para uma luta campal estavam lá. Ao lado do pastor King, membros de diversas gangues criminosas da cidade.

E ele diz: "Tínhamos alguns chefes e componentes de quadrilhas nas nossas fileiras. Lembro-me de ter marchado com os Blackstone Rangers, enquanto garrafas eram lançadas contra nós, atingindo-os e ensanguentando-os. Pois nenhum deles abandonou a marcha ou reagiu com violência"[5].

Finalmente, em Washington, após uma grande marcha, a multidão de brancos e negros parou, e ele tomou a palavra. Ninguém imaginava o que aconteceria no momento seguinte,

---

[4] Ibidem, p. 117.
[5] Ibidem, p. 95.

mas ele entraria para a História. Era 1963, num dia quente de agosto, o pastor King tentou falar à nação sobre um sonho que tivera. Mas titubeou, segundo o relato, em momentos tentando dizer o que havia planejado para aquela ocasião. À frente dele, Mahalia Jackson, uma das mais belas vozes do *negro spirituals* norte-americano, uma estrela *gospel* como jamais se ouviu, dizia: "Martin, fale do sonho... fale do sonho, Martin".

Por fim, vendo que o sermão preparado de antemão não fluía, Martin Luther King deixou de lado as formalidades e abriu o coração:

> Sim, eu também sou vítima de sonhos adiados, de esperanças dilaceradas [...].
>
> Quando se perde a esperança, perde-se também aquela vitalidade que faz que a vida continue, aquela coragem de existir e de prosseguir, apesar de tudo. Por isso, hoje em dia eu ainda tenho um sonho.
>
> Eu tenho um sonho de que, um dia, os homens se ergam e percebam que são feitos para viver uns com os outros, como irmãos.
>
> Esta manhã, ainda tenho o sonho de que um dia todos os negros deste país, todas as pessoas de cor do mundo, serão julgados com base no seu caráter, não na cor da sua pele, e de que todos os homens respeitarão a dignidade e o valor da personalidade humana.[6]

---

[6] Ibidem, p. 120-121. Trecho do discurso "Eu tenho um sonho".

O discurso seguiu, descrevendo os sonhos, que devem ser os nossos ainda hoje. Não apenas pelas conquistas que serão positivas para cada um de nós e para os nossos filhos, mas porque precisamos sonhar, sonhar para nós, nossa família e nosso próximo.

Não importa o tamanho do seu sonho, você não pode ser privado de sonhar. Sonhar é ser livre.

O sonho mostra o futuro e blinda você no processo que se estende até que se realize.

Em Gênesis 37, lemos que José teve um sonho ainda adolescente, por isso começou a ser odiado dentro da própria casa. As pessoas de sua família não compreenderam que o sonho de José beneficiaria a todos, mas isso só aconteceria cerca de trinta anos mais tarde.

> "Eu tenho um sonho."
> — José, filho de Jacó

Se José não tivesse acreditado em seu sonho, todas aquelas pessoas morreriam de fome. Um sonho salvou a família, protegeu uma descendência e gerou uma nação, a de Israel.

A blindagem que garantiu a perpetuação do povo judeu — que, séculos depois, colecionaria, entre outras conquistas, Prêmios Nobel — começou com um sonho.

Sonhar é de graça. Como diz o megaempresário brasileiro Jorge Paulo Lemann: "Sonhar grande ou sonhar pequeno dá o mesmo trabalho".

Quanto vale um intérprete de sonhos? Daniel 1.9 diz: "Deus fez com que o homem [o chefe dos oficiais] fosse bondoso para com Daniel e tivesse simpatia por ele".

Daniel não sonhou. Ele *interpretou* sonhos!

Steve Jobs não sonhou com o *smartphone*; ele *interpretou* como fazê-lo de uma forma absolutamente formidável.

Espero deixar essa ideia mais clara a seguir.

A outra classe de pessoas que eu gostaria de mencionar é a daqueles que não sonharam, mas melhoraram o sonho dos outros. Há pessoas que não têm um sonho específico, mas que se tornaram especialistas em realizar o sonho de outros.

São verdadeiros intérpretes de ideias e projetos, realizadores, executores do sonho que começou em outra pessoa e que acaba fazendo parte da vida deles também.

Muitos que assistiram ao filme *Fome de poder*, que conta a história dos fundadores da famosa rede norte-americana de lanchonetes McDonald's, ficaram revoltados com Ray Kroc. Afinal de contas, ele "roubou" a ideia inicial dos irmãos McDonald's. Kroc executou o projeto de transformar a pequena lanchonete daqueles irmãos da Califórnia na maior rede de franquias *fast-food*.

A pergunta é: o McDonald's existiria hoje se ficasse nas mãos daqueles que sonharam com ele?

Existem sonhos que morrem se ficam nas mãos de quem os sonhou!

MARIA, MÃE DE JESUS, A GERADORA DE SONHOS

A Bíblia não relata nenhum sonho de Maria, não conta que ela tenha planejado algo e lutado por isso. Maria era uma jovem comum de uma família comum de Nazaré. Apesar de ela não ter um sonho, Deus tinha um e esse sonho a envolvia.

Em Lucas 1.30, lemos: "Mas o anjo lhe disse: Maria não temas, porque achaste graça diante de Deus" (*Almeida Revista e Atualizada*). Como uma adolescente de uma cidadezinha pequena se torna a mulher mais famosa do Ocidente?

Ela não tinha faculdade, não fizera um curso preparatório para ser mãe. Naquela época, ser virgem não a diferenciava das meninas de sua idade.

Segundo os relatos históricos, Maria não era cheia de talentos e conhecimento, *mas era cheia de graça*. Deus olhou para Maria e percebeu que poderia contar com a ajuda dela. O que Maria tinha era perfeito para o plano de Deus. E isso bastou para ela se tornar a atriz coadjuvante da cena principal do teatro divino neste mundo.

Quando Deus quis realizar seu "maior projeto", foi com Maria que ele contou para engendrá-lo! Para gerá-lo!

Nem todos vão sonhar. Mas há espaço para todos participarem de um sonho e entrarem para a História. Se Maria não colaborasse com o projeto de Deus, como teria sido a trajetória de Jesus, o homem mais famoso e importante da humanidade?

Um sonho é o start *de* **TUDO.**

Contudo, antes de se tornar tudo o que Jesus se tornou, foi preciso que Maria colaborasse. E ela cumpriu muito bem seu papel.

Ao refletir sobre esses acontecimentos, percebi que TUDO começa com um sonho. Depois que José sonhou, a vida começou. As lutas começaram, o processo se iniciou!

Quando o sonho chega, a confusão vai embora.

DOIS TIPOS DE SONHOS

Veja bem: quando José estava na prisão, dois de seus companheiros tiveram sonhos. Essa história está relatada no livro de Gênesis, capítulo 40. O copeiro do rei teve um sonho em que ele espremia uvas em um cálice e *servia* ao faraó. Já no sonho do padeiro, ele carregava pães e iguarias reais na cabeça; então as aves vinham e começavam a comer do que estava no cesto.

Penso que existem dois tipos de sonhos: um em que você serve às demais pessoas; outro em que você só serve a si mesmo.

O sonho de José alimentaria sua nação e outras; o de Martin Luther King Jr. daria direito a todos os negros; o de Deus salvaria a humanidade.

Qual é o seu tipo de sonho?

Prossigamos... você está cada vez mais perto do Maior Poder do Mundo!

Conquistando o poder de um sonho

Seu sonho atual, caso se cumpra, beneficiaria a muitos ou apenas a você?

_____
_____
_____

Sonhar grande ou sonhar pequeno dá o mesmo trabalho?

_____
_____
_____

Se sonhar é um anestésico contra as dores da vida, quanto mais você sonha mais anestesiado fica?

_____
_____
_____

O PODER DE UM SONHO | **137**

Qual seria a criptonita do sonho, do seu sonho?

_____
_____
_____
_____

Descreva aqui seu maior sonho até agora?

_____
_____
_____
_____

6 | O poder da fé

**Só há duas maneiras de viver.
Uma é como se nada fosse um milagre;
a outra é como se tudo fosse um milagre.**
— Albert Einstein

"A fé move montanhas."

Essa afirmação foi feita há cerca de dois mil anos por Jesus. Imagino quantas pessoas investiram tempo, concentração, desapego das coisas materiais, reflexão espiritual e outros esforços para ter o poder e as condições de fazer mover as montanhas. Esse é o poder chamado fé.

Até onde eu sei, não apareceu uma pessoa capaz de demonstrar que isso tivesse funcionado.

Com toda a tecnologia moderna e todos os recursos científicos disponíveis até hoje, o homem da nossa geração conseguiu, no máximo, abrir um buraco em uma montanha, forrá-la com concreto armado e dar a isso o nome de *túnel*.

Mas e quanto a transportá-la? Jamais os melhores engenheiros do Planeta foram tão longe. Conseguiram explodir montes, como ocorreu com o morro do Castelo, que existia no Centro do Rio de Janeiro, cidade onde fui criado. No início dos anos 1920, o Rio passou por uma reforma urbanística, e o morro foi demolido — as terras e as pedras daí foram usadas para aterrar determinadas áreas, como partes da Urca e da lagoa Rodrigo de Freitas. Mas isso não é o mesmo que transportar montes.

Pois bem. Que poder seria necessário para isso? A resposta está na própria declaração: a fé.

Bem, a História nos ensina que a fé levou pessoas comuns a realizarem feitos extraordinários. Ao longo da minha carreira de pesquisador, escritor e palestrante, entrevistei muitos empreendedores e quis saber como eles alcançaram tanto sucesso. Muitos desses entrevistados responderam:

— Eu simplesmente acreditei, *sem nunca duvidar*.

Bem, isso parece fazer algum sentido para mim. Tiago, um dos irmãos de Jesus, escreveu o seguinte: que aquele que pede algo a Deus, mas duvida, é como a onda do mar (cf. Tiago 1.6).

Sabemos como são as ondas do mar... Elas estão sempre na beira ou no meio, mas não avançam além de certo ponto, como também não se aventuram mar adentro. Elas vão e voltam, vão e voltam, sempre fazem o mesmo movimento. Em outras palavras, não saem do lugar!

Isso nos ensina algo que você deverá memorizar: a fé e a dúvida são inimigos. Onde um estiver, o outro não estará.

Não pense que eu seja um monge ou guru, nem que passo meses no deserto em contemplação. Sou um sujeito de carne e osso, que acorda todo dia para trabalhar ou produzir algo, tenho esposa e três filhos que precisam de mim, pego trânsito (e isso quase me enlouquece), espero nas filas para embarcar como qualquer outra pessoa.

Quero explicar o meu conceito de fé, pois acredito que o que tenho, como resultado de CRER no que ainda não existe, você também pode ter.

Entendo que fé é o conjunto de crenças (ou princípios de natureza espiritual) que regem a vida de uma pessoa. Fé é o lado para o qual olhamos quando é preciso ter esperança ou segurança naqueles momentos em que estamos em apuros.

FÉ é o que revelamos acreditar quando o caos chega!

Observe que eu não estou materializando a minha fé, não estou aplicando-a a um objeto, a um local especial ou a uma pessoa como eu.

O Talmude (uma coleção de escritos que reúne a antiga tradição dos sábios judeus) diz que a fé de uma pessoa é sua *identidade*. Afinal, *você é aquilo em que acredita*.

Em outras palavras, a sabedoria do Talmude está dizendo que nós fazemos coisas e organizamos a nossa vida, as nossas atitudes, o nosso comportamento com base naquilo que cremos, no que realmente acreditamos.

De fato, é assim que agimos. Ninguém se esforça por algo que não acredita, não crê ou por aquilo que supõe que falhará.

Por isso, é importante ter claro na mente quais são os valores que guiam a sua vida, as crenças que organizam as suas ações e de onde você espera vir a sua segurança e a sua esperança.

Ter isso claro e bem definido na sua mente equivale a uma Declaração de Missão e Valores, como as que as empresas escrevem e fixam na recepção de sua sede.

Mas é possível dizer mais sobre a fé.

Fé é a certeza das coisas que os nossos olhos ainda não enxergam, segundo a Bíblia. Essas coisas são algo que nós esperamos que aconteça e esperamos isso porque temos fé. Em que se basearia a fé em algo que não posso ver, mas que estou seguro que irá acontecer? Deve haver uma base sobre a qual essa fé/esperança esteja apoiada.

Por que a fé é um poder que rege a humanidade?

Bem, as seitas e as religiões não param de crescer e todas elas exigem que seus adeptos tenham fé, já que as promessas que fazem são muito diferentes umas das outras. O único elemento comum a todas elas é a fé.

A antropologia, assim como a sociologia, concorda que, na maioria esmagadora das culturas e sociedades humanas estudadas, o homem demonstrou práticas, rotinas, rituais e outros elementos que apontam para a presença da fé, independentemente da época em que tenha vivido.

No passado, a maioria das pessoas acreditava em uma divindade que habitava o céu. Depois da Revolução Francesa, da Revolução Industrial e do advento da ciência moderna, uma parcela da humanidade depositou sua esperança na tecnologia ou no próprio ser humano. Mesmo assim, a fé interior sempre existiu. Em tempos de crise, cresce ainda mais.

Nos séculos passados, matava-se em nome da fé, e essa prática deplorável parece ter ressurgido com certa força nos últimos anos. Vemos atentados terroristas que matam milhares de pessoas inocentes, praticados por homens que *defendem* sua fé.

Não somente no âmbito tradicional da crença religiosa, assim como em organizações radicais, em grupos políticos fanáticos ou mesmo em torcidas organizadas de clubes esportivos, os aficionados creem que a causa que defendem (o time do coração, uma entidade, uma ideia, uma posição política) é como um deus ou "messias" que solucionará as questões sociais da sociedade segundo determinada perspectiva.

A fé falsificada, distorcida e mal desenvolvida tem poder de fazer que as pessoas prometam coisas que danificarão seu próprio corpo. A fé cega pode resultar em atos sem sentido, irrefletidos e até irracionais. Esse dano pode ser físico e emocional, porque a fé, se distorcida, arrebata as pessoas de suas faculdades normais.

Por isso, muita atenção com a fé. Ela é poderosa demais para ser interpretada de qualquer jeito e cair no fanatismo, deixando de cumprir seu verdadeiro papel no ser humano.

A fé é um poder e dá poder; quem a tem, pode usá-la como força para manipular e ferir outros.

A fé inteligente (como costumo chamar) não é irracional, apesar de nem sempre ser lógica. Sempre se apoia em algo seguro, em um fundamento sólido. Sabe onde se fundamenta, mas não reconhece limites.

> **Ore, mas continue remando até alcançar terra firme.**
> — Provérbio russo

Já reparou que, em algumas partidas de futebol, vôlei, ou em corridas de Fórmula 1, vez ou outra, surge alguém com um cartaz escrito "Eu já sabia", numa referência ao resultado positivo de seu time ou de seu atleta favorito? (Num estádio de futebol, uma plaquinha dessas só é exposta em caso de vitória!)

Pois bem. A ideia em torno da confecção de um cartaz como esse é feita motivada pela fé. O torcedor tem absoluta certeza de que seu time vai vencer. Tanto que, antes mesmo do apito inicial, escreve: "Eu já sabia" (que venceria esse jogo).

Há pessoas que são tão cheias de fé que, quando a conquista se materializa, não se surpreendem, como acontece com os torcedores que veem sua equipe virar uma partida que parecia perdida. O fato de elas não se surpreenderem não tem a ver com falta de sensibilidade. É que a certeza da vitória era tão grande que a euforia da conquista chega antes, quando a fé é posta em ação.

Quem dera levássemos a vida assim. Sem preocupação pelo amanhã, sem a correria desenfreada pela sobrevivência.

Pois, quando as coisas boas acontecessem, sorriríamos com a placa "Eu já sabia".

Ter certeza de que amanhã será melhor que hoje é para poucos. Somente para quem já adquiriu o poder da fé.

Portanto, uma vez que quase nada vem até nós de graça, procure adquirir e cultivar a fé, porque ela poderá ser um fator de conquistas na sua jornada. Uma poderosa chave que abrirá portas pelas quais você não imagina atravessar.

Como adquirir fé?

A MOEDA CERTA PARA ADQUIRIR FÉ

"A fé vem pelo ouvir, e ouvir a palavra de Deus." Quem escreveu isso foi um judeu, da cidade de Tarso, por nome Paulo (antes Saulo) e que viveu no primeiro século depois do nascimento de Cristo. A fé vem a nós pela audição, ouvindo as coisas certas, da fonte certa.

Tenho certeza de que milhões de pessoas imaginaram que para ter fé era preciso fazer demoradas orações, longos períodos de meditação e jejum, afastar-se da sociedade, trancar-se em um mosteiro ou convento.

Nada disso é preciso. A fé, o ingrediente que melhora a nossa vida, que "empodera" nossos sonhos, que nos leva da terra para o céu, está acessível até mesmo nos agitados grandes centros, nas megalópoles com trânsito, no meio do caos e das pessoas que andam de um lado para o outro sem parar.

Ela brota no gesto de ouvir.

Ela entra pelo sentido da audição; portanto, adquiri-la não depende de uma ação da nossa parte. Ao contrário, adquirir a fé é algo que se consegue sendo *passivo*!

Ouvir é um gesto passivo. O agente ativo é o que fala.

Ou seja, as boas coisas da vida surgem quando a pessoa se tranquiliza, não quando sai desesperada em sua busca. Não se pode "correr atrás da fé"; você precisa apenas ouvir o máximo de tempo possível histórias que façam nascer e crescer esse poder em você.

Quanto *tempo* você investe em ouvir? Pois essa é a moeda que você usará para adquirir esse poder.

Se a fé é adquirida à medida que ouvimos, é preciso dedicar *tempo* para desenvolvê-la. Talvez você não tenha se dado conta, mas há um encadeamento natural entre os poderes do mundo. Um poder depende do outro para ter um efeito real sobre as demais pessoas e, assim, alcançar um maior círculo de pessoas.

Vejamos um exemplo.

É possível que você conquiste o comando de uma grande empresa usando o poder da fé; no entanto, após a conquista, o que será feito? Será preciso manter a empresa, administrá-la bem. Ninguém poderá fazer prosperar uma empresa contando apenas com a fé. Será preciso outro poder para dar os passos seguintes. Estamos falando da sabedoria, sem a qual você nunca administrará bem um grande negócio, uma família, uma instituição.

Verdade seja dita: sem sabedoria, você não administrará nem mesmo uma empresa de pequeno porte. Sem sabedoria, é capaz de perder o casamento antes de formar a família ou de ter filhos.

Paulo, o apóstolo mencionado há pouco, talvez o maior representante do cristianismo depois de Cristo, escreveu em um de seus textos a seguinte palavra de sabedoria: "Ainda que eu [...] tenha uma fé capaz de mover montanhas, se não tiver amor, nada serei" (1Coríntios 13.2).

Veja como a fé é importante, mas não é tudo. Começamos este capítulo destacando a fé como agente poderoso para transportar montanhas, mas mesmo a fé tem lá suas limitações, e essas limitações são superadas com poderes adicionais ou complementares, como é o caso do poder do amor.

Isso não quer dizer que necessariamente os poderes tenham que estar sempre juntos, mas, quando isso acontece em uma só pessoa, esta se torna indestrutível.

A fé é a única ferramenta que dá oportunidades reais de evolução ao ser humano.

O que adiantaria se José tivesse o poder de um sonho, se não pudesse confiar no Deus que estava com ele o tempo todo? E se ele não formasse a sua *networking* (rede de relacionamentos), o que o levaria a patamares mais elevados?

Assim, eu poderia dar vários exemplos de como os poderes se relacionam entre si e organizam a nossa vida, os nossos passos, a sociedade em geral.

Quero concluir este capítulo sobre a fé com uma citação do Novo Testamento. De todos os 66 livros da Bíblia, esse é o único versículo das Escrituras onde aparece uma definição do que vem a ser a fé, esse poder que muitos lutam para alcançar: "Mas o meu justo viverá pela fé. E, se retroceder, não me agradarei dele" (Hebreus 10.38).

O fato de que precisamos da união de poderes para avançar não diminui em nada o poder da fé. Ele é muito necessário e, em determinadas situações, só ele é a solução. A definição reforça isso.

SEM FÉ, É IMPOSSÍVEL AGRADAR A DEUS!

Certa vez, perguntei à minha vó paterna, Neucy:

— Vovó, como a senhora conseguiu criar sete filhos, se eu passo diversos apertos com apenas três?

Ela sorriu e valorizou "seu passe", dizendo:

— Na minha época, não tinha essa tecnologia toda, escola particular, *van* escolar, farmácia entregando remédios em casa, nem sequer fralda descartável.

Hoje em dia, estamos com medo de deixar os nossos filhos brincarem na rua, tememos atrasar o pagamento do plano de saúde deles, somos reféns dos presentes exigidos em todas as datas comemorativas criadas pelo comércio para faturar.

Então, qual é a receita da vovó?

— Como era na sua época, dona Neucy?

Ela respondeu:

— É, Tiago, na minha época só tínhamos fé.

E deu tudo certo.

Vamos em frente... nossa caminhada na trilha do conhecimento se aproxima do fim.

Conquistando o poder da fé

A fé é poderosa por si mesma ou depende da pessoa que a coloca em prática?

_____
_____
_____
_____

O que enfraquece a fé? Qual seria a criptonita da fé?

_____
_____
_____
_____

Como você tem usado o poder da fé em seu dia a dia?

_____
_____
_____
_____

Você tem algum depoimento de conquista por causa deste poder? O que você já conquistou por conta da sua fé em ação?

7 | O poder do amor

O amor é tão forte quanto a morte.

— Cântico dos Cânticos 8.6

Chegamos a um dos maiores poderes que o mundo já conheceu ou conhecerá.

Trata-se de uma missão muito difícil saber distinguir o maior poder do mundo, da força que a fé tem, e da longevidade e profundidade do amor.

Até aqui temos passado em revista algumas características de cada poder, bem como a aplicação de cada um na vida de personalidades que fizeram história e que tiveram uma vida extraordinária.

Agora vamos nos deter na força intrínseca desse poder, o poder do amor. Para iniciar, gostaria de procurar uma definição do que é o amor; e certamente pessoas de culturas diferentes podem nos fornecer as definições mais distantes.

As melhores definições sobre o amor, no entanto, não vieram dos textos de William Shakespeare, de Homero ou de algum filósofo grego. Tampouco aparecem nos *slogans* da geração *Woodstock* ou do movimento *hippie*, que pregava paz e amor.

Sem dúvida, as melhores palavras sobre o amor, bem como a definição mais abrangente, pode ser encontrada na Bíblia. O conceito mais forte e real que já li sobre o amor também está nas Escrituras bíblicas.

A minha noção de amor mudou por completo depois que visitei dezenas de vezes a terra de Israel. Apesar de ter tido uma criação cristã, não foi isso que me convenceu da maior prova de amor do mundo: a cruz!

O que me paralisou a ponto de revolucionar a minha mente e tirar o meu sono foram as palavras contidas em cada versículo dessas Escrituras milenares. Os códigos judaicos, os sábios de Sião e a superação do povo hebreu me ensinaram muito, mas nada se compara à história de amor entre Deus e a humanidade de que a Bíblia trata e que se comprovou pela História.

Depois de ler centenas de livros, desde filosofia grega até revoluções contemporâneas, a verdade é: ninguém representou o amor como Jesus. Ninguém amou tanto como Deus.

Não quero ser exageradamente enfático, mas realmente isso não é questão de religião, e sim de matemática. Calcule as provas de amor que o Criador nos deu e compare com qualquer história romântica no mundo.

Por falar em cálculo, gostaria de mencionar o jovem matemático indiano Srinivasa Ramanujan (1887-1920):

"Uma equação não tem sentido para mim se ela não expressa um pensamento de Deus".

Ramanujan não tinha formação acadêmica, mas tinha fé. Sendo hindu, não abriu mão do que acreditava quando se mudou para Cambridge, na Inglaterra. Ramanujan, tinha um sonho, que foi realizado quando, ainda que estrangeiro, foi aceito na Royal Society of Science no Reino Unido e teve diversas de suas teses publicadas pela universidade. Ele tinha informações (matemáticas) que ninguém tinha, e isso o pôs em posições privilegiadas, posições essas que nenhum conterrâneo seu pôde experimentar naquela época.

Contudo, os poderes da fé, da informação e do sonho sufocaram um dos grandes poderes deste mundo, que é o amor.

Muitos dizem que não se pode ter tudo na vida! Na verdade, podemos sim.

As Escrituras judaico-cristãs, em certos aspectos, se parecem com um romance entre o Criador e a humanidade, no qual se descreve como essa relação se deu entre erros e acertos, idas e vindas, buscas e perdas, distanciamentos e aproximações. É realmente uma história pessoal muito marcante.

Veja, por exemplo, em um dos mais famosos versículos bíblicos, o que Jesus disse a respeito do amor de Deus por nós: "Porque Deus tanto *amou* o mundo que deu o seu Filho *Unigênito*, para que todo o que nele crer não pereça, mas tenha a vida eterna" (João 3.16, grifo nosso).

A doação é algo que somente pessoas completas podem fazer. Dar o único filho para resgatar uma pessoa hostil é, na minha opinião, a maior prova de amor.

Amor é abrir mão dos nossos direitos para que outro desfrute. Isso acontece muito entre pais e filhos. Quantos pais deixaram de comer algo um dia para permitir dar de comer a seus filhos?

> **A vida é minha, mas o coração é teu. O sorriso é meu, mas o motivo és tu.**
> — Autor desconhecido

Bem, essas foram algumas palavras de Jesus sobre o amor de Deus. Mas a Escritura traz mais sobre o tema, também escrito por um autor da época. A carta de amor mais profunda que já li na vida está registrada em 1Coríntios 13.

Nesse capítulo, Paulo escreve à igreja quando esta ainda era um movimento sectário dentro do judaísmo. A receptora da carta, a igreja em Corinto, reunia-se em uma casa na cidade de Corinto, na Grécia. Assim diz o texto tão conhecido: "Ainda que [...] tenha uma fé capaz de mover montanhas, se não tiver *amor*, nada serei" (grifo nosso).

Recentemente, a minha esposa me surpreendeu com uma pergunta:

— Tiago, você realmente acredita em amor entre homem e mulher, em amor entre duas pessoas casadas?

Primeiro veio o susto e em seguida o espanto:

— Como assim? — retruquei.

Aquele pareceu o momento da explosão do *Big Bang* (ou quando Deus disse "Haja luz"!).

Ela insistiu em sua "tese", emendando outra pergunta igualmente inflamável:

— Você teria coragem de, por livre e espontânea vontade, ferir, agredir, ofender ou destratar os seus filhos?

Bem, posso responder por mim que não há muito o que pensar diante de uma questão assim. Então respondi imediatamente:

— Claro que não.

Mas ela não estava para brincadeiras. Certamente, já havia gastado algum tempo meditando, refletindo sobre essas questões, e algumas perguntas estavam pipocando lá dentro. Aos poucos, foi disparando uma a uma.

A terceira dessas questões foi:

— Então, por que os casais se ferem tanto gratuitamente? Por que insistem em agredir e deixar marcas um no outro?

E prosseguiu:

— É fato que, quando temos discussões com os nossos filhos, por causa das coisas erradas que eles fazem (quando nos pegam desprevenidos, agitados por causa da rotina diária) e exageramos no tom de voz ao nos dirigirmos a eles, somente por essa mudança no "clima" entre nós já sentimos imediatamente aquele remorso terrível por ter de lidar com eles de maneira diferente do que gostaríamos de fazer. Não demora muito e procuramos um jeito de recompensá-los por terem recebido uma carga adicional de repreensão. Na verdade, aproveitamos para nos punir com isso também... então, por que não acontece o mesmo com um casal?

Nesse ponto de vista, todos temos de concordar. É assim que acontece com a maioria dos casais que conhecemos e com os quais temos relação de amizade. Entendo o ponto de vista da minha mulher e tenho que concordar com ela!

— Então — continuou ela — *amor é amor*, ou existem vários tipos de amor?

A luz de "pânico" já estava acesa, e eu não conseguia responder àquela aparente pergunta corriqueira, nem sequer pensar numa resposta tipo *just in time* a fim de ganhar tempo para elaborar algo melhor.

Olhei para os lados e não havia um botão tipo "clique aqui e faça agora o *download* da sua resposta".

Percebi quanto estar envolvido numa discussão saudável sobre esse tema tão importante e profundo, sobre o qual qualquer um de nós provavelmente pensaria ter muitas e boas respostas, pode nos paralisar. Isso indica a força do poder que ele tem. O amor não é um "sentimentozinho" de adolescentes apaixonados. O amor é uma decisão, e essa decisão gera *poder*.

O AMOR NÃO COBRA JUROS

Entre as pessoas que você conhece e que têm filhos, há algum *pai* que tenha o hábito de fazer contas mensais sobre quanto gasta com cada filho mensalmente, a fim de poder cobrar deles o investimento total quando crescerem? Certamente não existe uma pessoa assim.

Pais não fazem contas, porque simplesmente *amam* ver seus filhos usufruindo do melhor que podem dar. Para um pai, ver o filho se tornando um jovem ou adulto bem-sucedido não pode ser comparado a nada. Para um pai, vale mais a vitória do filho do que sua própria vitória. Na verdade, a vitória do filho é a vitória do pai.

> O amor é tão cego que nunca contabiliza quanto investiu na pessoa que ama.

"Assim, permanecem agora estes três: a fé, a esperança e o amor. O maior deles, porém, é o amor." (1Coríntios 13.13.) Esta é outra frase do mesmo Paulo, escrita na continuação de seu poema do amor.

Aqui ele introduz mais dois elementos: a fé e a esperança. Já falamos sobre a fé, mas, das pessoas entrevistadas sobre o maior poder do mundo, nenhuma delas respondeu "a esperança".

"O verdadeiro amor lança fora todo medo."

Talvez pudéssemos pôr a esperança no raio de ação do sonho, como no Capítulo 5. Sem esperança, como podemos esperar o cumprimento de uma promessa ou a realização de um sonho?

Será que o poder do amor é maior do que a fé e a esperança juntas?

É o que acabamos de ler; é assim que Paulo pensava e ele certamente refletia algum consenso, fosse da tradição dos sábios judeus, fosse dos primeiros pensadores cristãos.

O amor é um remédio, um antídoto. O amor expulsa sentimentos que lhe são contrários.

O medo é contrário à fé: você não pode ter os dois ao mesmo tempo, mas, se cultivar e tiver amor, não terá medo (pois ele é expulso pelo amor); isso significa que a esperança brotará e a fé se fortalecerá.

Se tiver esperança, o ambiente para os sonhos estará preparado. Então, os poderes estarão interconectados.

COMO SE MUDA UMA ORDEM DE DEUS?

O amor é tão forte que teve o poder de fazer Deus mudar de ideia algumas vezes!

Leia este registro dessa história de Israel: "Acrescentarei quinze anos à sua vida. E livrarei você e esta cidade das mãos do rei da Assíria. Defenderei esta cidade por causa de mim mesmo e do meu servo Davi" (2Reis 20.6).

Aqui lemos sobre um episódio que envolveu o rei Ezequias, do antigo Israel. Ele governava da cidade de Jerusalém, também chamada de a "Cidade do Grande Rei". Ezequias descobriu que estava com uma doença terminal e certamente morreria muito rápido.

> **A maior declaração de amor é a que não se faz; o homem que sente muito fala pouco.**
> — Platão

Ele, então, utilizou a fé e começou a orar, dizendo mais ou menos as seguintes palavras: "Ah! Senhor! Gostaria de lembrar-te que eu andei nos teus caminhos em verdade e com o coração perfeito e fiz o que era bom e correto aos teus olhos". E Ezequias chorou muito, conforme relata o texto do segundo livro de Reis, capítulo 20, versículo 3.

A fé moveu Ezequias de sua doença, e o amor o salvou. O prolongamento de quinze anos de vida a um doente terminal aconteceu!

O amor é paciente

Finalmente, há muitas outras áreas na nossa vida nas quais o amor pode ser aplicado para que tenhamos resultados grandiosos. Por exemplo, se o seu temperamento é dominante e você fica nervoso facilmente, é ansioso e odeia esperar, eu tenho uma notícia para dar: o amor é um poder tão intenso que até os seus sentimentos desordenados e descontrolados se submetem a ele!

Já experimentou amar para amansar as suas emoções e acalmar os seus sentimentos?

Jacó amou Raquel. Ele trabalhou durante sete anos para que pudesse ter o direito de se casar com ela. Mas Jacó foi enganado pelo próprio sogro (e não ficou nervosinho nem saiu chutando tudo pela frente). Ele concordou com um novo trato e teve que trabalhar mais sete anos (e teve paciência para enfrentar isso).

A história da vida de Jacó diz que ele amava tanto Raquel que catorze anos se passaram como se fossem dias. Como? O amor.

Mas o amor também tem limite?

Quando vejo na televisão reportagens sobre mães jogando os filhos recém-nascidos em latas de lixo ou deixando-os abandonados em caixas de papelão; ou o contrário, filhos matando os pais, chego à conclusão de que até o amor pode ter limites.

No entanto, o amor de Deus, do qual Jesus falou, é de outra natureza.

Deus ama coletivamente. Ele ama na mesma medida duas pessoas tão diferentes; desde aquele considerado o pior pecador até o denominado mais santo dos homens.

No que se refere a nós, porém, direcionamos o amor para poucos, geralmente para os "queridinhos" e aqueles que não nos prejudicam. Gostamos de gerenciar a intensidade desse poder pela entrega das outras pessoas, não incondicionalmente. Se a pessoa nos beneficia, amamos mais; do contrário, diminuímos o fornecimento de amor em sua direção.

Na verdade, acredito que o amor — não a fé — é o poder mais espiritual que existe, se compararmos com os outros seis que tratamos até aqui. Pois a fé pode facilmente ser limitada quando entra a dúvida.

Já o amor só pode ser limitado se Deus não estiver por aqui. E, como não acredito nisso...

Toda expressão de ódio que o mundo experimentou, guerras, Holocausto, genocídios, só encontrou espaço em nós, seres humanos, porque nós mesmos não permitimos que Deus estivesse ali.

> Ainda que eu fale as línguas dos homens e dos anjos, se não tiver amor, serei como o sino que ressoa ou como o prato que retine. Ainda que eu tenha o dom de profecia, saiba todos os mistérios e todo o conhecimento e tenha uma fé capaz de mover montanhas, se não tiver amor, nada serei. Ainda que eu dê aos pobres tudo o que possuo e entregue o meu corpo para ser queimado, se não tiver amor, nada disso me valerá. O amor é paciente, o amor é bondoso. Não inveja, não se vangloria, não se orgulha. Não maltrata, não procura seus interesses, não se ira facilmente, não guarda rancor. O amor não se alegra com a injustiça, mas se alegra com a verdade. Tudo sofre, tudo crê, tudo espera, tudo suporta. O amor nunca perece; mas as profecias

desaparecerão, as línguas cessarão, o conhecimento passará. (1Coríntios 13.1-8, de autoria do apóstolo Paulo)

MAS, ASSIM COMO OUTROS PODERES, O AMOR TAMBÉM TEM LIMITES!

A profecia bíblica é clara: "Devido ao aumento da maldade, o amor de muitos esfriará". As palavras de Jesus em Mateus 24.12 são preocupantes.

Isso é horrível. A iniquidade, que é a coleção de pecados, é a *criptonita* do amor.

Quando você permite que um pecado se instale, o primeiro passo para toda uma coleção foi dado. Afinal, um abismo chama outro abismo.

A desintegração gratuita da instituição familiar é a prova disso. As desculpas para terminar uma família são sempre as mesmas: "Eu não sou feliz"; "Não a amo mais"; "Não aguento mais". Enquanto lutamos pela nossa felicidade, os filhos são feridos, as mulheres são amarguradas e a sociedade adoece.

As mesmas pessoas que começam a ler um livro e param na metade, ou que começam uma faculdade e desistem meses depois, são as que não conseguem manter uma aliança tão profunda quanto o casamento.

Mas veja a história de Alberto[1], um empresário super-reconhecido que atendi em sessões de *coaching*.

Nos dias estressantes de trabalho, ele recorria à bebida alcoólica ou a algum *site* pornográfico.

Em dias de pressão sempre recorreremos àquilo que nos permite escapar.

Quais são os seus escapes? A isso você vai recorrer nos dias difíceis.

Os dias bons podem ser usados para reeditar os escapes mentais que se materializam dos dias ruins e torná-los em algo saudável, como Jó, que, quando recebeu a pior notícia de sua vida, prostrou-se e adorou ao Criador. Ele poderia murmurar, embebedar-se, ter um ataque de raiva... Mas recorreu a seu escape.

Voltando a Alberto. Algo que parecia pequeno foi atraindo coisas maiores. Agora, depois de meses na pornografia, que doutrina a mente humana a múltiplas opções de gostos e prazeres, ele não se interessava tanto pela esposa; afinal os problemas de casa, os filhos, as contas e o dia a dia não são fáceis.

Foi aí que ele começou a ver a secretária com outros olhos.

Quem tem uma posição mais alta, tem vantagem emocional sobre quem está embaixo em uma hierarquia. Alberto usou isso e acabou tendo um caso com a jovem colaboradora. Junto com a traição, veio a mentira.

---

[1] Nome fictício.

Note que Alberto não era um mentiroso. Mas é impossível instalar um pecado e não esperar que ele venha acompanhado de outras tantas coisas. Depois de bebedices, pornografia, adultério e mentiras, chegou a indiferença emocional. O empresário que antes era bom pai e esposo, agora está no jogo do "tanto faz".

Resultado: o amor se esfriou.

Estamos falando do mesmo Alberto, que tem a mesma família. O que mudou? A iniquidade. A *criptonita* do amor entrou.

E lembre-se: ela não entra sem permissão! Alguém tem que lhe abrir a porta.

Essa história real não é exclusiva desse homem de negócios. Muitos já passaram por processos parecidos. Você talvez saiba do que estou falando, pois também se lembrou de alguns momentos difíceis na sua vida.

A Bíblia diz que o amor de muitos esfriará. Não de todos!

De qual grupo você fará parte?

Quando preservado, o amor transborda em outras palavras:

Perdão

Confiança

> Paciência
> Lealdade

Como se mede o amor? A minha versão de Lucas 7.47 é a seguinte: "Aquele a quem *muito* foi perdoado, *muito* ama".

O contexto deste versículo é interessante. Jesus está contando uma história ao anfitrião da casa que o recebe para um jantar. Seu nome era Simão, um fariseu.

Certa mulher que a Bíblia relata como "pecadora" entra no mesmo ambiente em que estavam, ajoelha-se aos pés de Jesus e lava seus pés com as próprias lágrimas, enxugando-os com seus cabelos. Uma cena cinematográfica!

Essa atitude causou repulsa entre os religiosos, que questionavam se Jesus era profeta, pois alguém que soubesse das coisas deveria prever que aquela mulher não era "digna" de estar ali. É nesse momento que Jesus dispara uma de suas parábolas.

Em Lucas 7.41,42, lemos assim:

> "Dois homens deviam a certo credor. Um lhe devia quinhentos denários e o outro, cinquenta.
> Nenhum dos dois tinha com que lhe pagar, por isso perdoou a dívida a ambos. Qual deles o amará mais?".

O amor tem medida. Jesus, o Mestre do amor, nos ensinou tudo sobre esse poder. Vasculhe a história do Messias de Israel e você encontrará um manual de como amar de verdade.

Sigamos!

Conquistando o poder do amor

Será que existe limites para o amor?

Ele não deveria ser o maior poder do mundo?

É possível "conquistar" esse poder? Como?

Existe criptonita para o amor? Qual? Como ela funciona?

8 | O maior poder do mundo

> **"Minha graça é suficiente a você, pois o meu poder se aperfeiçoa na fraqueza."**
> 2Coríntios 12.9a

Minha mãe sempre dizia que eu nasci "com a sorte grande". Na verdade, ela usava outra expressão, mas essa traduz bem o que queria dizer. Só hoje entendo que, desde aquela época, eu já carregava o maior poder do mundo.

Lembro-me de, aos 15 anos de idade, ter falado aos meus pais que o "meu sonho" era conhecer uma figura do *show business*, que, além de excelente músico, era famoso por ter um dos melhores estúdios de gravação do país.

Meu pai costumava me dizer: "Tiago, você consegue o que quiser. E, no mínimo, você precisa ir mais longe do que eu. Eu fui mais longe do que o meu pai e penso que você precisa fazer o mesmo que o meu pai fez comigo. Precisa transmitir esse objetivo aos seus filhos, quando os tiver".

A minha mãe, vez ou outra, retrucava: "É, Dario, mas ele desiste fácil".

Com essas duas falas dos meus pais, eu tinha tudo de que precisava para começar! A bênção e o apoio do meu pai e o desafio lançado por minha mãe. E ela estava certa. Naquela época, era comum eu começar uma coisa e não terminar ou chegar até o fim.

Eu tinha várias limitações. Tinha complexos de inferioridade terríveis por causa da cor da pele, pelo formato do nariz, pela condição social etc. Não me via como meus pais me viam. Enfim, eu procurei o dono do estúdio... aquela figura inacessível a "seres comuns". E ele me recebeu. Acabei pedindo uma vaga de estagiário, e ele aceitou. O poder de um sonho tem forças além do natural!

Por dois anos inteiros, trabalhei apenas para receber o dinheiro da condução, de ida e volta para o serviço. Comecei enrolando cabos. Quatro anos depois, saí do estúdio como gerente de confiança da empresa. Foi naquela época que formei a minha primeira rede de contatos.

Também foi naquele tempo que encontrei a minha primeira referência em liderança, depois do meu pai, claro: o Pedro, a quem eu chamava *The Boss*. Ele era o dono do estúdio. Mais do que isso, era a fonte de inspiração de todo aquele sonho que eu alimentava dentro de mim.

Pedro me ensinou muito sobre comportamento e ética, sobre como lidar com pessoas difíceis e principalmente como entrar e se manter no mundo *business* sem perder o temor a Deus.

Ter referências é fundamental na vida de um jovem!

Quando pedi para sair do estúdio, eu tinha 19 anos de idade. Depois disso, fui morar na Europa, mais especificamente na Itália e na Suíça. Entre idas e vindas, essa profunda experiência durou um ano e meio. Lá, eu ajudava algumas igrejas como missionário e músico. Ficava hospedado na casa de pastores amigos.

De certo modo, essa atividade na Europa era reflexo dos meus sonhos da adolescência. Quando eu era adolescente, sonhava em ser músico e produtor musical. Estudei na Escola de Música Villa-Lobos, uma das mais conceituadas do Brasil, no centro do Rio; participei da produção de muitos álbuns como instrumentista e finalmente consegui produzir alguns CDs. Um ciclo que se fechou.

Depois, quando já estava mais na fase da juventude, queria viajar pelo mundo e também consegui isso. Foi então que percebi que nada parecia impossível. E naturalmente comecei a aumentar o nível dos meus desafios. "Quem sabe abrir uma empresa?", comecei a pensar.

Quando voltei da Europa, conheci Jeanine, que era amiga da minha família, e a mãe dela frequentava a igreja na qual meu pai era o pastor. Lembro-me bem do dia em que a vi numa festa e disse a um dos meus irmãos: "Vou casar com aquela ali!".

Ela parecia ser demais para mim, alguém que talvez nem sequer me "veria". Entretanto, segui confiante. Sentia que podia conquistar tudo o que quisesse. E veja só: dois anos depois, Jeanine e eu nos casamos.

Eu já estava trilhando um caminho profissional relativamente seguro. Assim que retornei da Europa e me preparava para casar, comecei a trabalhar em agências de viagens, por causa da experiência com turismo e por falar espanhol e inglês.

Comecei como vendedor autônomo. Pouco depois, passei a gerente de uma empresa de turismo no centro do Rio de Janeiro. Eu nunca tive problema em começar de baixo. Mas tinha a certeza de que, se me deixassem fazer o meu trabalho, conquistaria um lugarzinho ao sol.

Lembra-se da história bíblica de Abraão e Ló? Eles discutiram por causa do tamanho de seus rebanhos e decidiram se separar para que não houvesse conflito entre os dois grupos. Abraão deu a preferência a Ló, dizendo: "Se você for para a esquerda, eu irei para direita. Mas, se você escolher a direita, eu irei para a esquerda".

A decisão estava nas mãos de Ló. Abraão não tinha problemas em começar tudo de novo. Ele sabia que a bênção não estava na terra; estava com ele!

No início da minha carreira profissional, como o dinheiro era escasso, eu fazia de madrugada um "bico" como técnico de som em estúdios de gravação. Assim, aumentava a renda para poder assumir os custos de um casamento e de uma casa.

Dez dias antes de me casar com Jeanine, quando a alegria era grande e também grande era a ansiedade pré-nupcial, fui despedido da agência de viagens e tive que levar, desempregado, a minha noiva ao altar. Eu estava perplexo com aquilo e inseguro pelo amanhã.

Fiquei seis meses literalmente "sobrevivendo". Foram dias — e noites — muito difíceis. Decidimos usar o poder da fé e da *networking* para começar uma empresa de turismo. Só faltavam os... recursos financeiros.

Usamos o poder da fé, pois precisávamos acreditar no que ainda não víamos, e o poder da *networking*, porque os nossos primeiros clientes seriam exatamente os amigos que eu tinha feito no período em que trabalhara nos estúdios.

Eu tinha a ideia e a *expertise*. "Alguém deveria ter o dinheiro", pensei. Seria o encontro perfeito, não acha?

Nesse momento, conheci o Marcelo. Ela havia se convertido ao evangelho fazia pouco tempo. Hoje ele é pastor. Na época em que nos conhecemos, ele tinha recebido uma pequena herança e, sem me conhecer direito, decidiu entrar como sócio no meu projeto. Ele foi "o alguém" que tinha o dinheiro.

Juntos, fundamos a empresa que deu início a uma nova fase na nossa vida. No entanto, cinco meses depois, Marcelo desistiu da empreitada. É que não estávamos conseguindo pagar as contas, muito menos tirar um salário.

Depois disso, com muito esforço, paguei a parte dele e comecei a me aventurar sozinho pelo mundo dos negócios.

Nada era como eu pensava. Foi muito duro, mas eu adorava desafios! Conto no livro *Rumo ao lugar desejado* sobre o dia em que, com 7 reais, abasteci o carro emprestado pelo meu pai e fui a uma feira de turismo no Rio de Janeiro. Não tínhamos dinheiro nem para comer nesse dia!

O meu primo Lucas estava comigo e foi o meu companheiro de agência desde que ela abriu até o dia em que fechou. Naquele dia em que fomos à feira, um dos homens mais poderosos do turismo de Israel passou por mim e perguntou se eu já conhecia a Terra Santa. Sorri e disse: "Que sonho! Nunca fui!".

Mas por que aquele homem, rodeado em uma feira com cerca de 25 mil visitantes, foi me escolher como alvo para fazer aquela pergunta?

Aqui há algo muito curioso. Você não decide ter o maior poder do mundo. Na verdade, ele é dado a você!

Ele estava ali para vender o produto dele, claro. Mas, naquele mesmo mês, a convite desse homem fui a Israel pela primeira vez. Ali, a minha vida mudaria novamente. Um novo ciclo.

A vida passa por ciclos. A minha muda a cada sete anos. A de alguns, a cada dez. Faça uma lista dos eventos marcantes da sua vida, aqueles que foram fundamentais para mudar o rumo da sua história, e analise quanto tempo dura um ciclo na sua caminhada aqui na terra.

Novos sonhos, novas perspectivas, novo patamar.

Deus me concedeu graça diante de líderes religiosos influentes, e eu comecei a propor-lhes que montassem caravanas para o território judeu. Muitos deles aceitaram, e uma grande fase chegou à minha vida. Nessa época, comecei a usar o *poder da informação*. Eu pagava o que fosse preciso para estar na frente. Guias de turismo locais, revistas do ramo, *workshops*... Investia sem parar. Queria informação na frente de todos.

Eu tinha o *poder da fé e da networking*. Acabara de redescobrir o *poder do amor* com o nascimento da nossa primeira filha, Julia Neviyah. Ter um filho leva você ao amor paterno e incondicional de Deus. E, sabe?, eu estava a ponto de adquirir o *poder do dinheiro*.

Mas tudo mudou... para pior. Faltou algo.

Faltou o *poder da sabedoria*, porque sem ela não conseguimos administrar o que conquistamos pela fé. Faltou também o *poder de um sonho*, pois os meus, no mínimo, estavam envolvidos em uma neblina. E o principal: eu carregava *o maior poder do mundo*, mas não o direcionava para o meu propósito de vida. Aliás, nem sequer sabia que possuía um.

Quem não direciona *o maior poder do mundo* para cumprir seu propósito de vida, mais cedo ou mais tarde prestará contas àquele que concedeu o poder.

ATENÇÃO, este é o segredo deste livro: Descubra a sua **ideia central permanente** e **direcione** a **graça** que Deus deu a você para facilitar a realização do seu propósito na terra.

Os resultados serão incontáveis. Eu tenho vivido isso. **Una o seu propósito de vida ao maior poder do mundo e aguarde a explosão!**

Não é novidade que sou um apaixonado pela história de Israel e pelo seu povo (enquanto escrevo este capítulo, preparo as malas para viajar para a Terra de Jesus com um grupo). A minha intenção era investigar e entrevistar o maior número possível de historiadores. E isso começou quando, em 2007, um rabino messiânico, em Jerusalém, me disse que eu descobriria o maior poder do mundo se desvendasse o que tirou Israel do Egito.

No entanto, a História não tem resposta para tudo. Mas a Bíblia tem! E eu a encontrei.

Êxodo 3.21 diz: "E eu darei graça a esse povo aos olhos dos egípcios; e acontecerá que, quando sairdes, não saireis vazios" (*Almeida Revista e Corrigida*).

Não foi força, nem estratégia de guerra; não foi uma ideia sábia, nem uma rede de relacionamentos; não foi o dinheiro, nem a fé. Foi simplesmente a GRAÇA! O povo de Israel saiu do Egito — onde havia sido escravo — livre e de mãos cheias.

> **A profissão de fé sem a graça divina é o cortejo fúnebre de uma alma morta.**
> — Charles H. Spurgeon

Graça? O que realmente é isso?

Perguntei no início do livro o que diferenciava Martin Luther King Jr. de Malcolm X, lembra-se?

Um tinha graça; o outro, não.

Já viu aquela pessoa talentosa, muito capaz, inteligente, preparada, mas que não prospera em nada do que faz? Essa é a pessoa sem graça! Já viu o sujeito rico, cheio de contatos, movido por informações, mas ao lado de quem ninguém quer ficar? Então, esse é um sujeito sem graça!

Dias atrás, em um encontro no aeroporto com um grande líder nacional, paramos por dez minutos para um café. Ele, rindo, tentava me "atingir" com algumas perguntas:

— E aí, como é ser o "bola da vez"? Diga aí, quem é o seu padrinho?

Usando o *poder do amor*, eu ia respondendo fazendo de tudo para que ele se sentisse aceito, mas não intimidado. Contornava suas perguntas, que eram como balas saindo de um canhão, com um tom de voz de carinho e empatia.

Até que ele foi um pouco mais agressivo. Sem perder a compostura, disse:

— Rapaz, eu nem acho você tão bom assim... Você fala as mesmas coisas que outros falam, aliás eu mesmo "exponho" ainda melhor as teorias que você defende.

Eu sorri e disse:

— Que bom, amigo! Não tenho dúvidas disso.

Mesmo assim, continuou:

Quem não tem GRAÇA é sem graça.

— Mas não entendo por que a pessoas estão "em cima de você", nem por que só querem convidar você. O que está acontecendo? O que você tem que eu não tenho?

Eu, respeitosamente, respondi perguntando: "Graça?".

Para não deixar o clima mais tenso, citei uma passagem bíblica, que já mencionei neste livro no capítulo "O poder dos relacionamentos — *networking*". Trata-se de Provérbios 22.11, que diz: "Quem ama a sinceridade de coração e se expressa com elegância será amigo do rei".

Falo sem medo de errar. Se não tivermos a graça de Deus, todos os nossos talentos serão insuficientes para atrair alguém, para atrair os bons negócios e experiências que a vida tem para nós.

Tudo o que temos e somos é por graça e pela graça. "Pela graça sois salvos", diz a sabedoria bíblica.

A graça é um presente divino, dada ao ser humano comum para que abra qualquer porta que estiver fechada em seu caminho.

A graça é um poder de atração, um ímã invisível.

Ela faz que aquele que está na "roda de cima" queira desesperadamente puxar você para lá. É simples: "Mas, pela graça de Deus, sou o que sou, e sua graça para comigo não foi inútil; antes, trabalhei mais do que todos eles; contudo, não eu, mas a graça de Deus comigo" (1Coríntios 15.10).

Esse famoso texto de Paulo, o apóstolo, explica tudo! Explica a minha história, explica a história de grandes líderes.

O que realmente abriu as portas para mim naquele estúdio quando eu era adolescente?

Por que os pastores confiavam em mim a ponto de convidar um jovem para viver na Europa?

O que Jeanine viu em mim? Eu não passava de um desempregado desconhecido quando nos aproximamos.

A graça é para a beleza o que a minhoca é na linha da vara de pescar; sem anzol, o peixe não é pego; sem a graça, não há conquista.
— Jean Commerson

O que o meu primeiro sócio viu no meu sonho de abrir uma agência de viagens?

O que aquele homem poderoso de Israel viu em mim, entre milhares de pessoas que estavam naquela feira de turismo?

O maior poder do mundo: a graça!

As pessoas olham para você e simplesmente gostam, confiam e consequentemente abrem as portas.

Importante: a graça é de graça! Como falei no início do livro, a maioria dos poderes que regem a terra deve ser adquirida com a poderosíssima moeda chamada tempo.

Com relação à graça, porém, que é o maior poder de todos, a natureza é outra. Não se compra nem se vende. É completamente gratuita. Não se pode comprá-la investindo tempo.

Depois de estudar, observar e pesquisar, percebi que há pontos em comum nos seres humanos cheios de graça. Todos eles estão relacionados a:

1. Ter um coração puro.
2. Ter um interesse desenfreado pelo que é eterno.
3. Fazer coisas que ninguém os vê fazer, mas que os céus registram.
4. Ter humildade incondicional.

O que entendemos por um coração puro? Aquele que é dominado pela pureza, que não tem mistura ou sujeira. Um coração puro agrada a Deus. Jesus dá uma aula sobre isso aos fariseus que o perseguiam. O relato pode ser encontrado em Mateus 15 e Marcos 7.

Aqueles membros do grupo judaico questionavam Jesus pelo fato de seus discípulos não lavarem as mãos antes de comer, o que era uma afronta ao costume judaico sobre purificação.

Jesus disse o seguinte: "O que entra pela boca não torna o homem impuro; mas o que sai de sua boca, isto o torna impuro" (Mateus 15.11).

Jesus falava por meio de parábolas e nem todos entendiam. Nesse caso, nem mesmo os discípulos compreenderam de pronto. E o Mestre explicou:

> "Não percebem que o que comemos entra pela boca e vai para o estômago e depois é jogado no esgoto? Mas o que dizemos é fruto do que está no nosso coração e por isso mostra ou não se uma pessoa é pura" (paráfrase de Mateus 15.17,18).

O coração impuro é o que contamina o homem. E o coração só fica assim por causa das coisas que permitimos que pousem dentro dele. Tudo o que vemos e ouvimos vai para dentro de nós. Depende de você selecionar o que vai para o seu coração.

O segundo ponto diz que estar interessado pelo Eterno e pela eternidade faz de você uma pessoa diferente das que vivem somente pelo sentido comum e terreno; faz que você fique exposto aos olhos do Todo-poderoso. Em uma de suas cartas, João, o apóstolo do amor, adverte:

> Não amem o mundo nem o que nele há. Se alguém ama o mundo, o amor do Pai não está nele. Pois tudo o que há no mundo — a cobiça da carne, a cobiça dos olhos e a ostentação dos bens — não provém do Pai, mas do mundo (1João 2.15,16).

João conclui com maestria, no versículo seguinte: "O mundo e a sua cobiça passam, mas aquele que faz a vontade de Deus permanece para sempre".

O que é do mundo não é eterno. Logo passa. As pessoas perdem anos e anos — e até mesmo uma vida inteira — dedicando-se ao que vai passar. Gastam energia com sentimentos e ações que não valem a pena. Sabe qual é a consequência disso tudo?

Elas não terão tempo para investir no que é eterno e verdadeiramente importante.

O terceiro tópico fala muito sobre quem você realmente é. O que você faz quando ninguém está vendo? Nesses momentos, você realmente é uma pessoa boa? Quando ninguém está vendo, você alimenta o seu coração com pureza ou com maldade? Isso faz muita diferença. Podemos ter ou produzir uma boa aparência, mas ela não nos faz uma pessoa boa por dentro.

Lembro-me do relato, em 1Samuel 16, do momento em que Davi foi ungido rei. Samuel, que era o grande profeta do povo de Israel naquele tempo, vai à casa de Jessé, que tinha oito filhos, entre eles Davi, um rapazinho na época.

Samuel ungiria um deles para ser o futuro rei de Israel e ficou encantado com a aparência de Eliabe. Mas, segundo as Escrituras, Deus disse a Samuel (1Samuel 16.7): "[...] Não considere sua aparência nem sua altura, pois eu o rejeitei. O Senhor não vê como o homem: o homem vê a aparência, mas o Senhor vê o coração".

Não use esse texto para relaxar os cuidados com sua aparência. Não se trata disso. A disputa aparência exterior *versus* aparência interior é para ilustrar a importância de ter um coração puro.

Por fim, a humildade é um tema relevante em pessoas marcadas pela graça. Elas são serenas e conciliadoras diante de conflitos. Não confunda humildade com pobreza. Os humildes são aqueles que estão sempre aprendendo, são os que encurtam crises por saber ouvir. Trata-se inclusive de uma dica do próprio Jesus.

Em Mateus 11.29, ele sugere: "Tomem sobre vocês o meu jugo e *aprendam de mim*, pois sou manso e *humilde* de coração, e vocês encontrarão descanso para as suas almas" (grifo nosso).

Sabe o que Deus faz quando encontra alguém com essas características? Ele retribui dando graça, aquele brilho que reflete em você e encanta quem está à sua volta. Veja o caso de Zaqueu. Ele foi um judeu que, na época de Jesus, estava a serviço de Roma como cobrador de impostos. Sua ocupação era malvista pelos judeus, já que, sendo judeu, cobrava impostos abusivos do seu próprio povo. Zaqueu era usado para "extorquir" a população de Israel e se dava muito bem fazendo isso. Digamos que era *expert* e esperto.

A história bíblica conta que Zaqueu era um homem de pequena estatura, por isso teve que subir em uma árvore para ver Jesus passar pela cidade. É provável que isso tenha ocorrido na cidade de Jericó, hoje uma cidade palestina.

Imagine o movimento social que foi receber a visita de um "bola da vez"! Aquele baixinho nem sequer era religioso, mas foi na casa dele que Jesus, o Mestre dos mestres, o Rei das nações, o Príncipe da paz, o Messias de Israel, em sua breve passagem pela terra, resolveu dormir por uma noite.

Novamente podemos fazer perguntas:

Que privilégio foi esse?

O que Jesus viu em Zaqueu?

Por que ele?

"Minha graça é suficiente a você, pois o meu poder se aperfeiçoa na fraqueza" (2Coríntios 12.9), disse o Senhor a Paulo. É o que Deus nos diz quando revela sua graça. Ele diz que sua graça nos será suficiente: "A minha graça é o bastante para você".

A graça de Deus nos basta, é suficiente; os demais poderes temporais que podemos desenvolver com técnicas e disciplina são apenas auxiliares nessa conquista.

Numa eventual disputa entre uma pessoa que fala bem, que tem boas ideias, que é competente e outra que tem a graça e pode ter menos atributos, a graça de Deus determina quem vai mais longe.

Quero dizer que, apesar de o currículo e a experiência de trabalho contarem muito para conseguir o melhor emprego, já presenciei situações em que o menos preparado foi o escolhido. Como ensino sobre desenvolvimento pessoal, isso me confundiu muito. Não era lógico!

Foi quando entendi que, quando Deus dá graça a fulano aos olhos de sicrano, isso se torna um fator decisivo.

Todos os poderes são fundamentais. Cada um cumprirá uma função em sua existência. Tomara que você seja cheio de graça para lidar com esta vida terrena.

A continuação desse versículo diz que o poder de Deus se aperfeiçoa em nós quando estamos fracos. O poder de Deus tem mais eficácia nas nossas fraquezas. Por isso, *nunca mais* se considere incapaz, jamais pense que e falta algo em você, pois é justamente quando se sente debilitado que a graça se manifesta.

Se quem não tem a *graça* é sem graça, o que adianta você ter todos os outros poderes do mundo se ninguém achar graça em você?

7 x 1

Os sete primeiros poderes, se usados sem equilíbrio, o podem derrubar. Se isso acontecer, o *maior poder do mundo* pode levantar você.

Pessoas estão presas por usarem informações que não poderiam obter.

Outros perderam a família e coisas preciosas como a vida espiritual por causa do dinheiro.

Muitos usaram sua *networking* para chegar a destinos vazios.

Há os que usam o poder de um sonho somente para benefício próprio. E se tornam egoístas e medíocres.

Alguns mataram em nome da fé e hoje são assassinos!

Outros usaram o amor para amar mais as coisas do que as pessoas.

Por isso, defendo que a graça é o maior poder de todos. Todos podem derrubar você, mas a graça só levanta. Todos os efeitos da graça são positivos.

Todos os outros poderes, você desenvolve aqui, mas a graça você recebe do céu.

"Pois vocês são salvos pela graça, por meio da fé, e isto não vem de vocês, é dom de Deus." (Efésios 2.8.)

> Quando reconhecemos que somos limitados, entendemos perfeitamente que é a graça de Deus que nos sustenta.
> — Tiago Brunet

O maior poder do mundo é um presente do Criador para você.

Conclusão

**Os poderes mudam o
comportamento de quem os porta.**

A cidade de Orlando, nos Estados Unidos, tem sido uma segunda casa para mim desde 2010. Algo que reparei em todo morador dessa região é que a população tem uma grande preocupação com furacões e tornados, além dos jacarés espalhados pelos lagos da vizinhança.

Quando estou na cidade, observo os turistas e os próprios americanos em modo "zumbi", pois não param de comprar. *Shopping centers* e *outlets* lotados, restaurantes com grandes filas e os parques da Disney intransitáveis.

Mas e se um aviso de furacão chegasse?

Uma informação como essa levaria os turistas do parque diretamente aos supermercados para comprar e estocar comida. Alguns sairiam do hotel em que estivessem hospedados e procurariam um lugar mais seguro. As compras e a diversão deixariam de ser importantes em fração de segundos.

A informação muda por completo o comportamento humano.

Como você agiria hoje se tivesse a informação de que amanhã é o seu último dia na terra? Certamente seria totalmente diferente do que você faz normalmente. A informação tem um poder incomum, pois ela é capaz de mudar destinos.

Mas, na verdade, qualquer um dos poderes citados neste livro, quando adquirido pelo ser humano, transforma sua forma de agir e pensar. Seu comportamento é imediatamente afetado.

Você conhece alguém que adquiriu o poder da sabedoria e continuou agindo como um tolo? Ou alguém que conquistou o poder do dinheiro e continuou frequentando os mesmos lugares de antes?

Quem conseguiu entrar em uma poderosa *networking*, se veste e fala da mesma forma? Ou quem adquiriu o poder do amor, da fé ou de um sonho?

É impossível continuar igual!

Isso mesmo... Quando o maior poder do mundo se manifesta em você, tudo se transforma. Seu comportamento muda, sua mente é renovada.

Se a informação já muda um destino, imagine a graça de Deus!

Se a sabedoria coloca homens comuns à mesa com reis, imagine o que a graça pode fazer!

A graça é a razão de eu estar de pé. Ela é um ímã de vida plena aqui, mas também é uma blindagem espiritual.

CONCLUSÃO

A graça é inexplicável, é escandalosa, é inatingível, é poderosa.

Nada se compara ao que ela oferece. Quem a tem, pode ter tudo.

A graça é a chave que abre a porta do Reino dos céus para os simples mortais. Pela graça seremos salvos, e isso não vem de homens, é dom divino!

E você? Em que fase da vida está?

Qual dos poderes apresentados nesta obra é necessário para alavancar a sua vida hoje?

Onde você tem investido a moeda do tempo?

Permita-me contar um segredo: O tempo é a única moeda do mundo que não pode ser comprada. O dólar, o euro e a libra podem ser adquiridos em qualquer casa de câmbio. O tempo, não. Se gastá-lo, não há como repor. Por isso, tem tanto valor.

Tem mais...

Não é possível economizá-lo. Não existe um pote ou cofre que o reserve para ser usado mais à frente. Ele vai acabar de qualquer maneira. Você pode intencionalmente gastá-lo ou simplesmente viver a vida deixando-o escorrer pelos dedos. Ah, o tempo!

Esteja seguro de que você, de forma intencional, está usando esse tesouro com sabedoria. Espero que tenha ficado claro para você que sete poderes são necessários para abrirem portas na sua jornada neste mundo. No entanto, em posse do *maior poder do mundo*, tudo acontecerá mais rápido e de forma segura.

MAS CUIDADO!

Um aviso importante para você: O maior poder do mundo não deve ser usado em benefício próprio.

"De graça você recebeu; portanto, também deve dar de graça."

Quero dizer, direcione esse poder para cumprir e maximizar o seu propósito de vida, mas foque em resultados coletivos, ou seja, naquilo que vai contribuir com todos ao seu redor. A consequência de tudo isso é que você chegará a lugares que nunca imaginou. E estará muito feliz em estar lá.

O *maior poder do mundo* tem uma importante função na terra: fazer que homens comuns sejam FACILITADORES na vida de todos que os cercam. Não o use para outro fim. Seria como apertar o botão da autodestruição!

Desde que me dei conta de que, se cheguei aonde cheguei foi por meio da graça, nunca mais pensei apenas em mim mesmo.

Resolvi me doar aos mais fracos, aos injustiçados, àqueles que não tiveram as oportunidades que a maioria pode ter. Decidi ser relevante neste mundo. Não para que o meu nome esteja em uma placa neste mundo, mas, quem sabe, fique famoso no céu.

Sei que parece difícil entender, mas é simples. Tudo o que você recebeu de Deus, se você reconhece que veio dele, deve ser compartilhado. O amor, o perdão, a paz e o conhecimento são alguns exemplos.

A graça é a facilitadora desses recursos na sua vida. Ela torna possível o que antes parecia impossível. José não fez esforço com o objetivo de ser governador do Egito e o "salvador" de sua família. Martin Luther King Jr. não dedicou sua vida em busca do Prêmio Nobel da Paz ou para ser um famoso líder do movimento negro. Eles estavam preocupados com as pessoas que estavam em volta.

Não menospreze a efetividade dos outros poderes.

A fé o fará conquistar coisas inimagináveis; o *maior poder do mundo* fará que todos olhem com bons olhos para essas realizações.

A sabedoria o ajudará nas decisões difíceis; o *maior poder do mundo* respaldará as suas escolhas.

A informação o colocará na frente; o *maior poder do mundo* fará transbordar os seus frutos.

O sonho vai deixar você anestesiado até que seja cumprido; o *maior poder do mundo* fará que tudo ao seu redor esteja completo.

O amor alimentará a sua força; o *maior poder do mundo* derrubará os obstáculos.

A sua *networking* vai pôr você em lugares incríveis; o *maior poder do mundo* abrirá a porta certa.

Com graça e pela graça levo esta mensagem.

Que fique claro a todos que nada vem de mim. Vivo e empreendo esta vida pela graça!

Eu tenho **o maior poder do mundo**.

O maior poder do mundo está disponível a todos

O Maior Poder do Mundo não é exclusividade de uma religião.

Conheço pessoas que se denominam cristãos e que parecem não o possuir. Conheço tantos outros que nunca tiveram contato com uma religião estabelecida e são portadores desse poder.

É complexo de entender, tendo em vista que a graça — que faz prosperar onde há fome, que abre portas onde não existiam portas, que escolhe você em uma seleção de milhares — é concedida por Deus.

Mas esforce-se para compreender que Deus nunca começou uma religião, seu amor e sua graça estão disponíveis para todos!

O que determina onde **O MAIOR PODER DO MUNDO** vai repousar não é a religião que você professa mas o desejo que o seu coração tem de desenvolver um contato íntimo com Deus.

*Para ter acesso aos demais poderes,
você precisa de uma "grandeza";
para ter o Maior Poder do Mundo,
você precisa apenas de uma coisa:*
UMA FRAQUEZA,
*porque é na fraqueza
que o poder de Deus se aperfeiçoa.*

Se você leu este livro e ficou emocionado ao descobrir que precisa desesperadamente **do maior poder do mundo, a GRAÇA de Deus**, repita estas palavras em voz alta:

> Jesus, hoje eu entendo que o Senhor é a graça divina compartilhada comigo.
>
> Eu não posso continuar seguindo nesta estrada mal sinalizada, que é a minha vida.
>
> Derrame sua graça sobre mim para que as portas que estão fechadas hoje sejam abertas.
>
> Eu quero ser seu amigo aqui na terra e andar de mãos dadas com o Senhor em seu Reino.
>
> Escreva o meu nome no Livro da Vida. Toda a terra ouvirá, naquele grande dia, que a sua graça me incluiu onde, por minha conta, eu nunca poderia entrar.
>
> Eu realmente não mereço isso, mas tudo tem sido, é e será sempre por causa da graça que eu tenho agora.
>
> Que assim seja!

Saiba sobre Tiago Brunet em:

www.clubedeinteligencia.com.br

Seja um aluno do CID!

www.institutodestiny.com.br

Conheça nossos cursos e todo nosso material.

Conheça outras obras de
Tiago Brunet
por Editora Vida

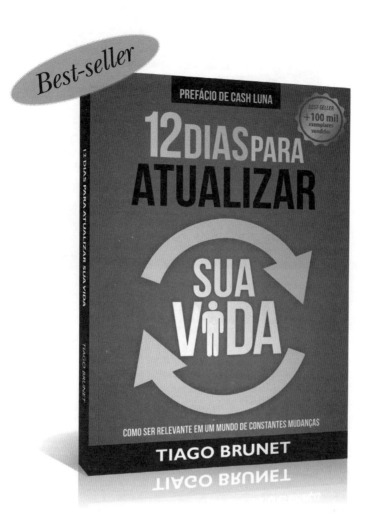

Este livro é fruto da experiência adquirida pelo autor em mais de 2 mil horas de atendimento individual em sessões de *coaching* e em palestras proferidas em diversos países. De forma simples, direta e sem segredos este livro dará um *upgrade* em sua vida.

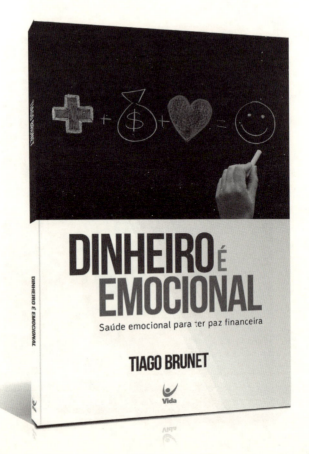

Em *Dinheiro é emocional*, Tiago apresenta como sua experiência como *coach* e mentor de dezenas de líderes empresariais, políticos e religiosos o levou a entender como aquilo que controla as nossas emoções também governa o nosso destino financeiro. Dinheiro no bolso sem propósito é dinheiro perdido.

Tiago conduz você, leitor, através desta obra, a um avançado estágio de saúde emocional e financeira, para que você conheça e desfrute do verdadeiro sentido da propriedade. Afinal: "Prosperidade não é ter dinheiro, e sim tudo de que você precisa para cumprir o seu destino nesta terra".

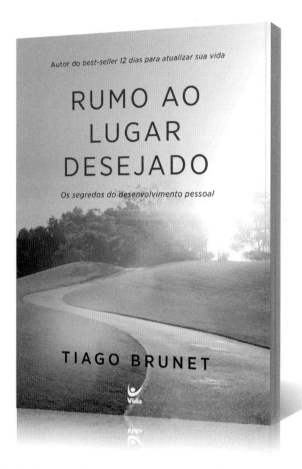

"Minha história de superação neste traçado no tempo que é a vida me fez descobrir, praticar e escrever os tópicos desta obra. As pessoas andam por aí sem rumo, sem direção. Dificilmente alguém que conheça o caminho está disponível para ajudar.

A intenção deste livro é colocá-lo na estrada rumo ao lugar desejado na sua vida pessoal, profissional e financeira. Sendo pretensioso, porém humilde, gostaria de ser o cocheiro da carruagem que o levará até este destino." — O autor

Esta obra foi composta em *Adobe Garamond Pro*
e impressa por Promove Artes Gráficas sobre papel
Chambril Avena 70 g/m² para Editora Vida.